LA MER

UN UNIVERS FANTASTIQUE

Texte
Valérie Le Du

Images
Marie-Christine Lemayeur
Bernard Alunni

Conception
Émilie Beaumont

ÉDITIONS FLEURUS, 15-27, rue Moussorgski, 75018 PARIS

Une planète bleue

L'eau était présente dans l'Univers bien avant la naissance de notre planète. Cette eau, à l'état de glace ou de vapeur, se dépose sur les poussières et les blocs du Cosmos. Puis, il y a 4,5 milliards d'années, en assemblant ces différents matériaux qui viennent de l'espace, la Terre se structure. Mais il faudra encore attendre des millions d'années avant que le premier océan apparaisse.

D'abord du gaz...

A la surface de la Terre à peine née, de très nombreux volcans et des roches bouillonnantes libèrent une quantité prodigieuse de chaleur et de gaz.
Une partie de ces gaz, les plus légers, se disperse dans l'espace l'autre partie, plus lourde, comme le gaz carbonique ou la vapeur d'eau, enveloppe la Terre et forme ce que l'on appelle l'atmosphère. L'eau n'y existe encore que sous forme de vapeur.

... puis un long déluge

La planète se refroidit doucement et les premières vapeurs d'eau se condensent. Lorsque la température atmosphérique s'abaisse en dessous de 100 °C, il y a environ 4 milliards d'années, l'eau devient liquide. D'énormes orages et de terribles tempêtes s'abattent durant des milliers d'années sur le globe. C'est un véritable déluge ! La pluie ruisselle sur le jeune sol de la Terre en d'incroyables torrents. Rivières et fleuves se forment et alimentent les océans, qui se remplissent progressivement. Ce n'est qu'au fil des siècles que les océans sont devenus ce qu'ils sont aujourd'hui : des étendues bleues et salées. Ce qui explique pourquoi on appelle aussi la Terre la planète bleue.
L'eau est l'élément de vie qui différencie notre planète des autres. Des scientifiques pensent que les océans pourraient s'être totalement évaporés d'ici à un milliard d'années.

Des tonnes de sel

Lorsque l'eau de mer s'évapore, elle laisse des dépôts de sel appelés évaporites.

L'océan renferme des millions de milliards de tonnes de sel ! Mais d'où vient ce sel ?

Aujourd'hui, les savants semblent d'accord pour penser que ce sont les premiers volcans qui sont responsables de la présence de sel dans la mer. Il y a 4 milliards d'années, les roches des volcans sont attaquées par des pluies acides qui emportent vers la mer les sels dissous. Par la suite, et pendant plusieurs millions d'années, la mer a continué de se saler peu à peu.

Des rivières à la mer

L'eau de pluie, en s'infiltrant dans le sol, arrache sur son passage des substances minérales qui formeront le sel. Ainsi chargée, elle retourne à la mer par les rivières et les fleuves. Chaque année, 180 tonnes de sel sont apportées aux océans.

Trop de sel ?

Des fleuves comme l'Elbe ou le Rhône, de plus en plus pollués, sont aussi de plus en plus salés. Depuis 1970, leur apport en sel a doublé. L'océan pourra-t-il indéfiniment absorber cet excédent ? Si cette augmentation continue, un grand nombre d'espèces disparaîtront.

Variation de sel

La quantité de sel varie selon les mers et les océans. En moyenne, 1 litre d'eau de mer contient 34,5 g de sel, mais il existe des mers où l'évaporation est tellement forte que le taux de sel est plus élevé. La plus salée de toutes les mers est la mer Morte.

De la science-fiction

Le niveau des océans évolue sans que nous nous en apercevions, car ces changements sont infimes, mais, sur des milliers et des milliers d'années, ils provoquent une modification des paysages.

Les périodes froides

Sur notre planète, la majeure partie de l'eau est stockée sous forme de glace. Lors des périodes de refroidissement de la Terre, cette glace a formé d'immenses glaciers appelés inlandsis. Le niveau des mers s'est alors abaissé et, pendant la dernière glaciation, il y a 17 000 ans, les glaces recouvraient le Canada sur 3 à 4 km d'épaisseur ! Le niveau des océans était de 120 m plus bas qu'aujourd'hui. Ainsi, la Manche était à sec et l'on pouvait se rendre à pied de France en Angleterre !

Les réchauffements

L'augmentation de la température du globe provoque la fonte des glaces : le niveau des mers s'élève. En même temps, sous le poids de l'eau, le fond de l'océan s'abaisse. Il y a 12 500 ans, le niveau de la mer s'est élevé de 24 m, puis, 2 000 ans plus tard, de 28 m. Le niveau de l'eau peut aussi varier à cause des plaques terrestres toujours en mouvement qui ouvrent ou resserrent certains océans, et par l'accumulation, sur le fond des mers, de sédiments (roches et sable) qui haussent le niveau.

Catastrophe climatique

Si la calotte glaciaire qui recouvre l'océan Antarctique fondait, le niveau de la mer s'élèverait de 60 à 100 m ! Paris serait submergé ! Mais il faudrait pour cela des milliers d'années.

Bleue, verte ou transparente

Pourquoi l'eau du grand large est-elle si souvent bleue, l'eau plus près des côtes claire, et pourquoi certaines zones se colorent-elles en vert ?

Des couleurs à tous les étages

Le ciel joue son rôle dans la couleur de la mer. En effet, l'océan est un miroir qui réfléchit seulement un quart de la lumière qu'il reçoit. La lumière blanche du soleil est un mélange de plusieurs couleurs que l'on peut voir quand il y a un arc-en-ciel. Ces couleurs disparaissent progressivement chacune son tour en s'enfonçant dans l'eau. A moins 4 m le rouge a disparu, à moins 10 m c'est au tour du jaune, et à 20 m de profondeur il n'y a plus que du bleu. Ensuite, c'est l'obscurité totale. Si l'on se blesse à 25 m de fond, le sang qui s'écoule prend une teinte vert foncé. Dès que le fond est sombre et profond, la surface de l'océan reflète la couleur du ciel. Mais quand il est clair et qu'il y a peu de profondeur, c'est la couleur du fond qu'on aperçoit. C'est pourquoi l'eau est si transparente sur les atolls de sable blanc.

Des couleurs variées

La couleur de la mer dépend aussi souvent des éléments qui la constituent et qui sont en suspension dans l'eau. Quand il y a beaucoup d'algues, la mer a plutôt une teinte verte. En Chine, les grands fleuves emportent avec eux une terre colorée qui, en se déversant dans la mer Jaune, lui donnent cette couleur.

Toutes les couleurs ne parviennent pas au fond des océans : à partir de 4 m de profondeur, la couleur rouge n'existe plus.

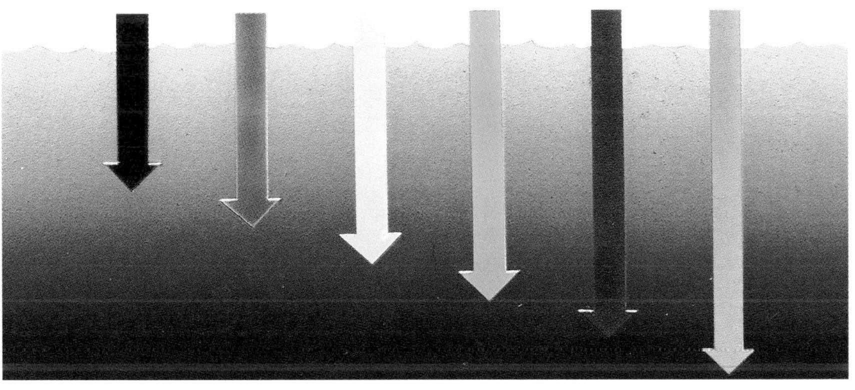

Un cycle inlassable

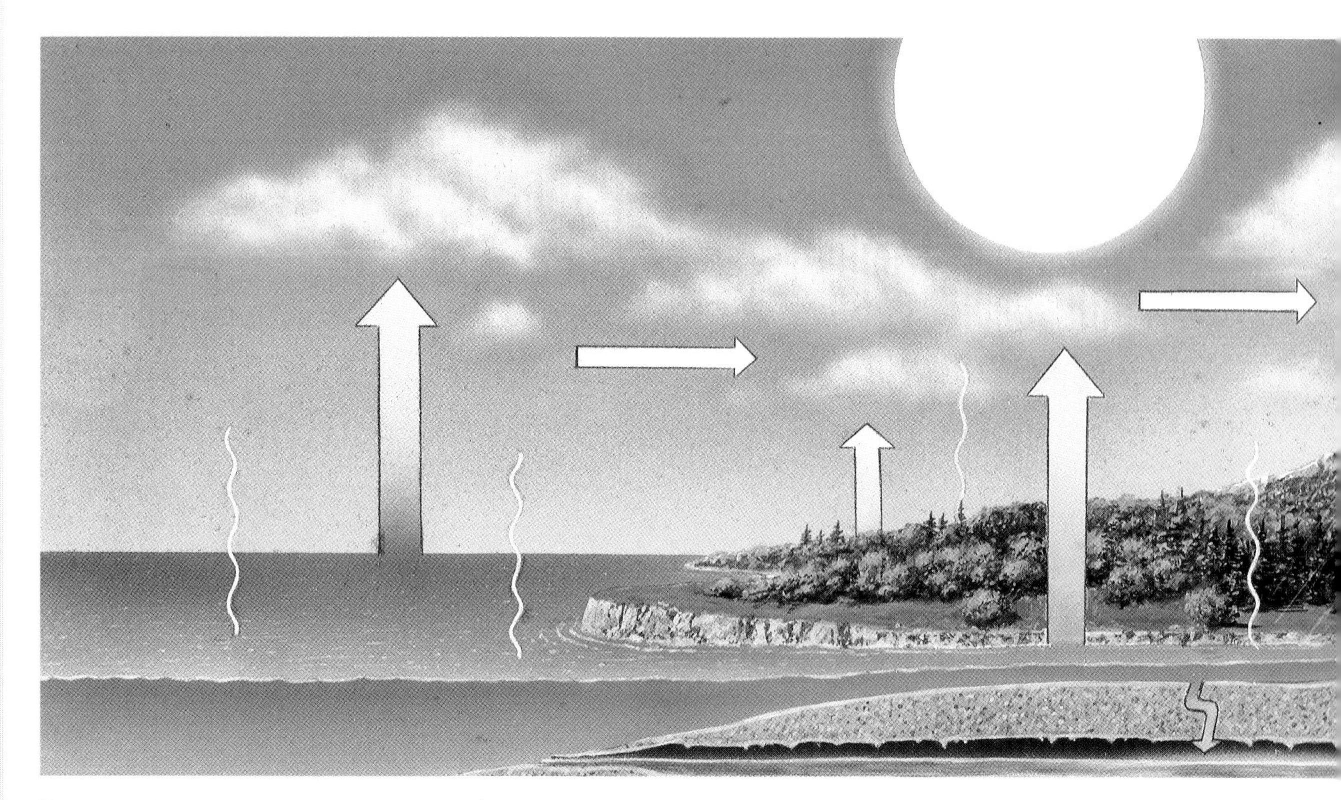

Les océans représentent le principal réservoir d'eau de la planète. Les mers et les océans retiennent 97 % de toutes les eaux du globe, les glaces 2 % et les lacs et les rivières 1 %.

L'océan ne déborde jamais.

Depuis son apparition sur la Terre, l'eau ne cesse d'effectuer un cycle inlassable, partant de l'océan, s'élevant dans les airs pour retomber sur les continents et revenir à l'océan. Sous l'effet de la chaleur du Soleil, des milliards de m^3 d'eau s'évaporent chaque année de l'océan, formant de gros nuages. Selon la température, cette vapeur retombe sur terre sous forme de pluie ou de neige. En moyenne, cette eau reste une dizaine de jours dans l'atmosphère.
Si l'on concentrait toutes les précipitations tombées en un an, notre planète serait recouverte d'une couche d'eau de 81 cm d'épaisseur !
En réalité, une partie des précipitations ne rejoint pas directement la mer : l'eau est soit absorbée par les plantes d'où elle s'évaporera sous l'effet de la transpiration végétale, soit retenue par les sols pour alimenter des nappes souterraines, soit enfin recueillie par les rivières et les fleuves qui se jetteront dans la mer.

Le rôle du Soleil

Le principal moteur du cycle de l'eau est le Soleil : grâce à son énergie, il change

depuis les origines

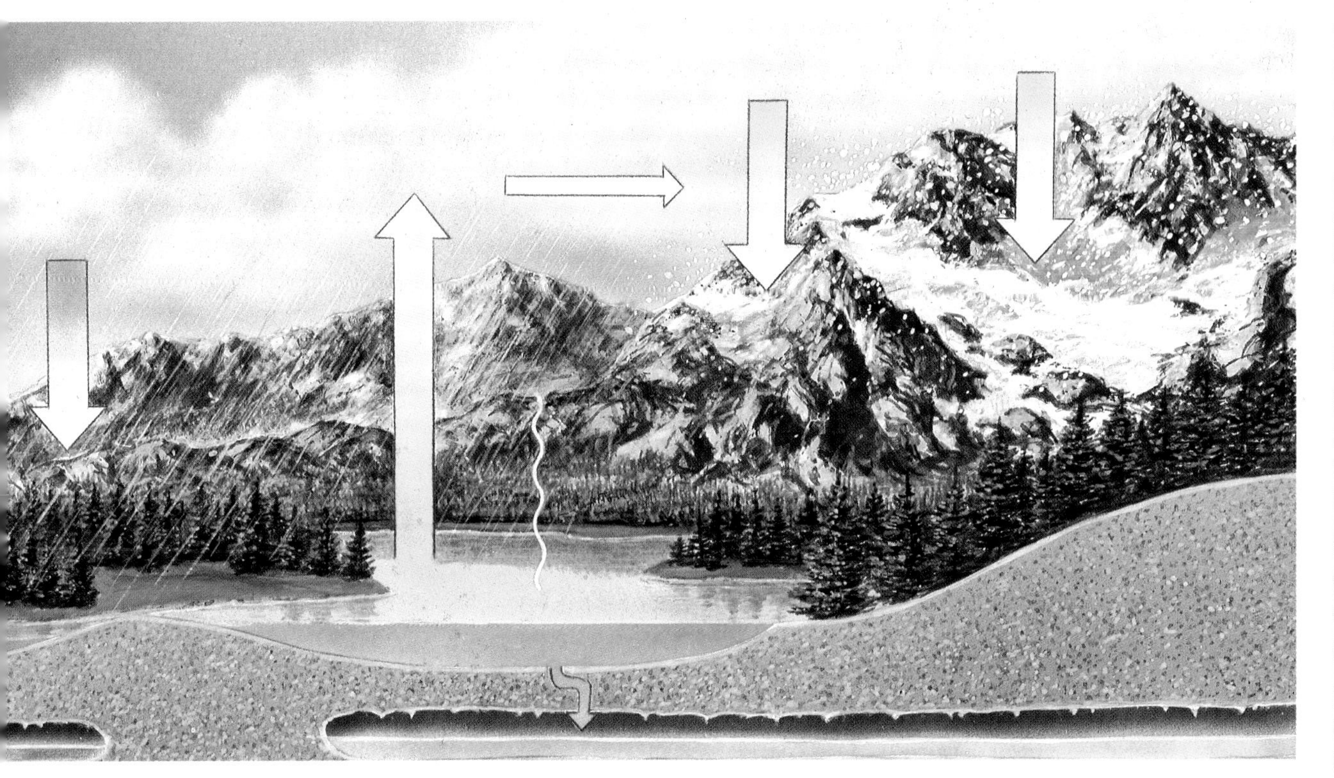

continuellement l'état de l'eau (vapeur, pluie, glace et neige). Beaucoup d'autres éléments interviennent dans ce cycle. Ainsi, en “respirant”, un arbre des régions tempérées permet l'évaporation de plusieurs dizaines de litres d'eau par jour.

Un régulateur indispensable

Le cycle de l'eau a une grande influence sur le climat.
Si 70 % de la surface de notre planète n'était pas recouverte d'eau, il régnerait sur la Terre une chaleur insoutenable. Personne ne pourrait y vivre. Sans l'évaporation de l'eau et les circulations de chaleur que cela entraîne, les tropiques seraient beaucoup plus chauds et les pôles beaucoup plus froids.

De l'eau acide

L'atmosphère est de plus en plus polluée ce qui provoque dans certaines régions la formation de pluies acides. Ainsi, en 1974, en Ecosse, lors d'une tempête, l'eau qui est tombée était presque aussi acide que du vinaigre !
Ce phénomène peut être très dangereux pour les plantes et les animaux.

Allons-nous manquer d'eau potable ?

Nous consommons de plus en plus d'eau douce et nous polluons aussi petit à petit nos réserves. La situation n'est pas encore catastrophique, mais des scientifiques suédois ont pensé fermer la mer Baltique afin d'en faire un grand bassin d'eau potable. D'autres ont envisagé de remorquer des icebergs vers les régions désertiques pour alimenter celles-ci en eau douce.

Un aller-retour

Chaque jour, sur le littoral, on peut voir la mer monter et descendre : ce sont les marées. Ce phénomène est très longtemps resté mystérieux. Dans des temps anciens, nos ancêtres ont même pensé qu'il pouvait s'agir des battements du cœur de la Terre !

Une histoire d'astres

Ce sont la Lune et le Soleil qui sont à l'origine des marées. En effet, ces astres attirent les eaux de notre planète. L'océan se déforme alors légèrement. A la nouvelle lune, le Soleil, la Terre et la Lune sont alignés : les marées sont plus fortes ; on les appelle vives eaux, car les forces d'attraction de la Lune et du Soleil s'ajoutent. Lorsque ces forces d'attraction ne sont pas combinées, les marées sont plus faibles ; ce sont les mortes eaux. Comme elle se trouve plus près de la Terre, la Lune a plus d'influence.

Des différences et des records

La Lune et le Soleil ne sont pas les seuls à intervenir sur les marées ; la rotation de la Terre, la profondeur des océans, et leur forme agissent aussi sur le mouvement de la mer. Ainsi, les mers et les océans n'ont pas tous les mêmes marées.

(1) et (2) L'attraction de la Lune et celle du Soleil sur la mer s'opposent : les marées sont faibles (mortes eaux).

(3) L'attraction de la Lune et celle du Soleil s'ajoutent : les marées sont plus fortes (vives eaux).

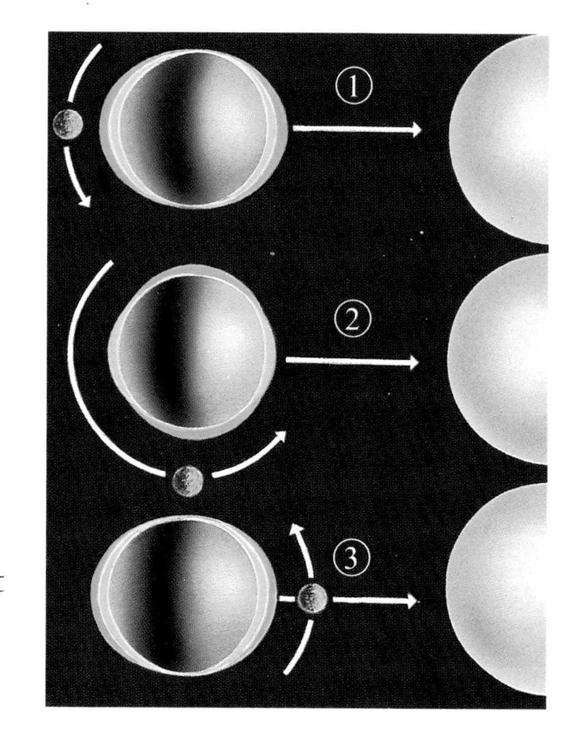

perpétuel et régulier

A cause de sa forme et du découpage de ses côtes, la mer Méditerranée ne descend presque pas, tandis qu'au Canada, dans la baie de Fundy, il y a 17 m de différence de hauteur entre la marée haute et la marée basse ; c'est un record !
En plein océan, les marées ne se ressentent pas. Il y a environ 2 hautes mers et 2 basses mers en 24 heures, mais cela varie selon les océans : sur les côtes du Pacifique et de l'océan Indien, on ne compte qu'un flux et reflux par jour.

Jules César pris au piège !

Pour les pêcheurs et les promeneurs, il est très important de connaître les heures des marées afin de ne pas se laisser surprendre. Jules César lui-même s'est trouvé enlisé dans la vase de l'estuaire de la Tamise, dans la Manche, lorsqu'il a voulu envahir l'Angleterre. Il n'avait pas prévu la marée basse !

Les mascarets

Lors des grandes marées, il arrive que l'eau remonte brutalement les fleuves : c'est le mascaret. Suivant la forme de l'estuaire, le flux avance comme un véritable mur liquide sur des dizaines de kilomètres à l'intérieur du continent.
Sur le fleuve Amazone, la marée se ressent encore à 1 000 km de l'embouchure !
Les mascarets sont dangereux pour les petites embarcations. En Asie, le mascaret qui remonte annuellement le fleuve Mékong peut former une vague de 14 m !

La mer en mouvement

Le vent sur la mer provoque la formation de petites rides. Si le vent persiste, ces ondulations s'allongent et deviennent des vagues de plus en plus hautes.

Des vagues invincibles

Si aucun obstacle ne les perturbe et même si le vent s'arrête ou change de direction, les vagues, sur leur lancée, continuent à avancer sous forme de houle.
Les vagues se propagent parfois à des milliers de kilomètres de leur lieu de naissance. Dans certains secteurs de l'Antarctique, rien ne peut arrêter les houles gigantesques menant parfois des vagues de 20 m de haut !
La vague la plus haute a été mesurée dans le Pacifique et faisait 34 m de haut !
Une autre a failli faire chavirer le plus grand paquebot du monde, le *Queen Mary*, au large de l'Ecosse, en 1942. Quand les fonds sont en pente douce, les vagues déferlent sur de longues distances et les rouleaux sont spectaculaires. On a déjà vu des gerbes d'écume de 40 m de haut !

C'est près des côtes que la distance entre les vagues est la plus courte : elles prennent davantage de hauteur.

L'eau n'avance pas !

Si l'on place un bouchon à la surface de l'eau, on s'aperçoit qu'il monte et redescend au gré des mouvements de la mer, sans changer de place.

Au gré des vagues, ce n'est pas le bouchon qui avance, mais la houle.

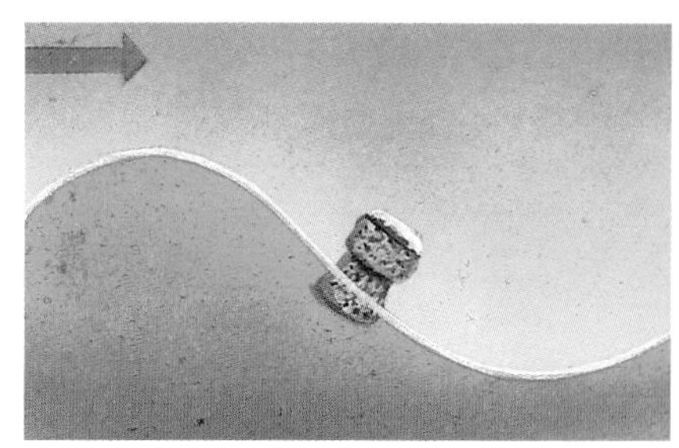

Le souffle du large

Le vent est de l'air en mouvement qui, selon l'endroit d'où il vient, transporte de l'air froid ou chaud. Les navigateurs l'utilisent, mais s'en méfient ; en mer, il peut vite devenir dangereux et déclencher des tempêtes.

Mesurer la vitesse du vent

Quand les marins jugent la vitesse du vent, ils peuvent la mesurer en km/h, mais aussi en nœuds. Un nœud correspond à 1 852 m à l'heure. Autrefois, les marins laissaient filer à l'arrière de l'embarcation une corde à nœuds espacés d'environ 15 m. Le bateau avançait, le marin comptait toutes les 30 secondes le nombre de nœuds qui défilaient entre ses doigts. Chaque fois qu'un nœud passait, le bateau progressait donc d'environ 15 m. Ainsi, à 10 nœuds, le bateau avance environ à 20 km/h. A partir de la vitesse du vent, on donne ensuite sa force, qui est transmise aux navigateurs pour les prévenir des dangers possibles. C'est à partir de la force 5 (30 km/h) que le vent commence à devenir dangereux pour les bateaux.

Un vent de force 8 peut engendrer des vagues de 5 m de haut et, lorsqu'il atteint la force 12, c'est l'ouragan assuré !

Alizés et pot au noir

Les alizés sont situés le long de l'équateur et soufflent en moyenne à 20 km/h d'est en ouest. Ils aidèrent Christophe Colomb à traverser l'Atlantique. Ce sont les vents forts les plus réguliers du monde. Autrefois, avec les bateaux à voile, les marins redoutaient le pot au noir : une zone de pluie et d'orages où aucun vent ne vient souffler dans les voiles.

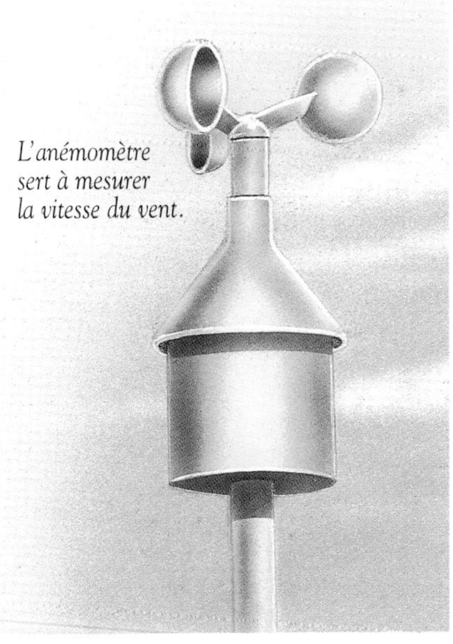

L'anémomètre sert à mesurer la vitesse du vent.

Des phénomènes

Les cyclones tropicaux, que l'on nomme typhons en Extrême-Orient, sont des tourbillons de vent très violents qui se forment au-dessus des mers tropicales.

D'impressionnants tourbillons

Les cyclones sont dus à la circulation atmosphérique et naissent au-dessus des océans. L'air chaud se charge d'humidité et s'élève lentement dans l'atmosphère. Entraîné par la rotation de la Terre, il tourbillonne de plus en plus haut et de plus en plus vite. Peu à peu, le cyclone forme un anneau qui peut atteindre plus de 500 km de large. Au centre se trouve l'œil, une zone de calme. Ces phénomènes se développent vers la fin de l'été dans les régions tropicales, où la température ne descend pas en dessous de 26 °C. Les cyclones faiblissent dès qu'ils traversent des zones plus froides. Ils sont accompagnés de vents pouvant atteindre 500 km/h. Selon la direction des vents, ces tempêtes de haute mer atteignent les côtes, mais il arrive qu'elles se déplacent uniquement sur l'océan, sans toucher les terres.

En quelques heures, la catastrophe

Ces tempêtes se développent très vite. Plus le vent est fort, plus les vagues sont hautes. Avant le cyclone, le ciel s'assombrit, la pluie tombe violemment. Un cyclone aspire environ 2 millions de tonnes d'air par seconde ! Et il peut pleuvoir en un jour plus qu'il ne tombe en un an sur Londres, en Angleterre ! Les vagues frappent les côtes, les digues se fissurent, les bateaux se fracassent contre les jetées. Le vent hurle, les arbres se courbent et sont parfois déracinés, les pylônes électriques se

spectaculaires et dangereux

couchent, les voitures sont emportées... En 1969, dans le Mississippi, l'ouragan Camille provoque des vagues de 7,60 m de haut. Le typhon qui ravage le Bangladesh en 1970 tue près d'un million de personnes, c'est l'une des plus grandes catastrophes naturelles du monde !

Peut-on prévoir ces désastres ?

Aujourd'hui, grâce aux satellites, les experts tentent de les prévoir. Des avions spéciaux envoyés au milieu de cette masse nuageuse peuvent aussi mesurer la vitesse des vents. Ils volent dans l'œil du cyclone, où l'air est calme.

La trajectoire du cyclone Hugo, qui s'est abattu sur la Guadeloupe en 1989, a été annoncée 6 jours à l'avance.

Les trombes

Les trombes sont des ouragans miniatures. Elles se développent surtout dans les zones tropicales, au-dessus des eaux côtières peu profondes. Les trombes apparaissent de jour comme de nuit, par tous les temps. Elles naissent à partir de cumulus, de gros nuages blancs arrondis flottant entre 500 et 2 000 m d'altitude, et de cumulo-nimbus, des nuages d'orage. Les trombes descendent lentement des nuages vers la surface de la mer et forment une cheminée de plusieurs centaines de mètres de haut. Elles tourbillonnent et absorbent de grandes quantités d'eau et d'écume. Les vents dépassent rarement 80 km/h et ne durent jamais plus de 15 mn. Quand les trombes meurent, l'eau qu'elles libèrent brusquement peut être dangereuse.

En 1969, une trombe de 900 m de haut s'abat en Californie, elle tue 3 personnes, en blesse 17 autres et détruit totalement une jetée.

Une muraille d'eau

Il arrive parfois que des régions de la terre soient submergées par de terribles murailles d'eau. Hautes de plus de 30 m, ces vagues avancent à des vitesses considérables. Ce sont des raz de marée. Les Japonais les appellent des tsunamis.

Des vagues dues aux séismes

Ces raz de marée ne sont pas dus aux vents, mais à l'activité sismique sous-marine. Ils sont déclenchés par des tremblements de terre et par des éruptions volcaniques le long des fosses océaniques ou des îles. Les séismes provoquent un gonflement local de l'océan qui se traduit par des vagues étalées sur plusieurs dizaines de kilomètres pratiquement invisibles en haute mer.
Elles peuvent se propager à 800 km/h, mais les navigateurs les remarquent à peine.
Ce n'est qu'à l'approche des côtes que ces montagnes d'eau se soulèvent et dévastent tout sur leur passage.

Elles traversent l'océan en quelques heures.

En 1960, un séisme secoue le sud du Chili et déclenche moins de 24 heures plus tard, de l'autre côté du globe, un tsunami qui dévaste les côtes du Japon. En 1883, l'éruption du Krakatoa, en Indonésie, provoque sur les côtes de Java, de Sumatra et des îles voisines de terribles vagues de 30 m de haut ! L'une d'elles aurait envoyé une barque à 10 km à l'intérieur des terres !
L'Atlantique aussi a connu de violents raz de marée, en 1755, l'un d'eux a ravagé Lisbonne.

Des fleuves sous-marins

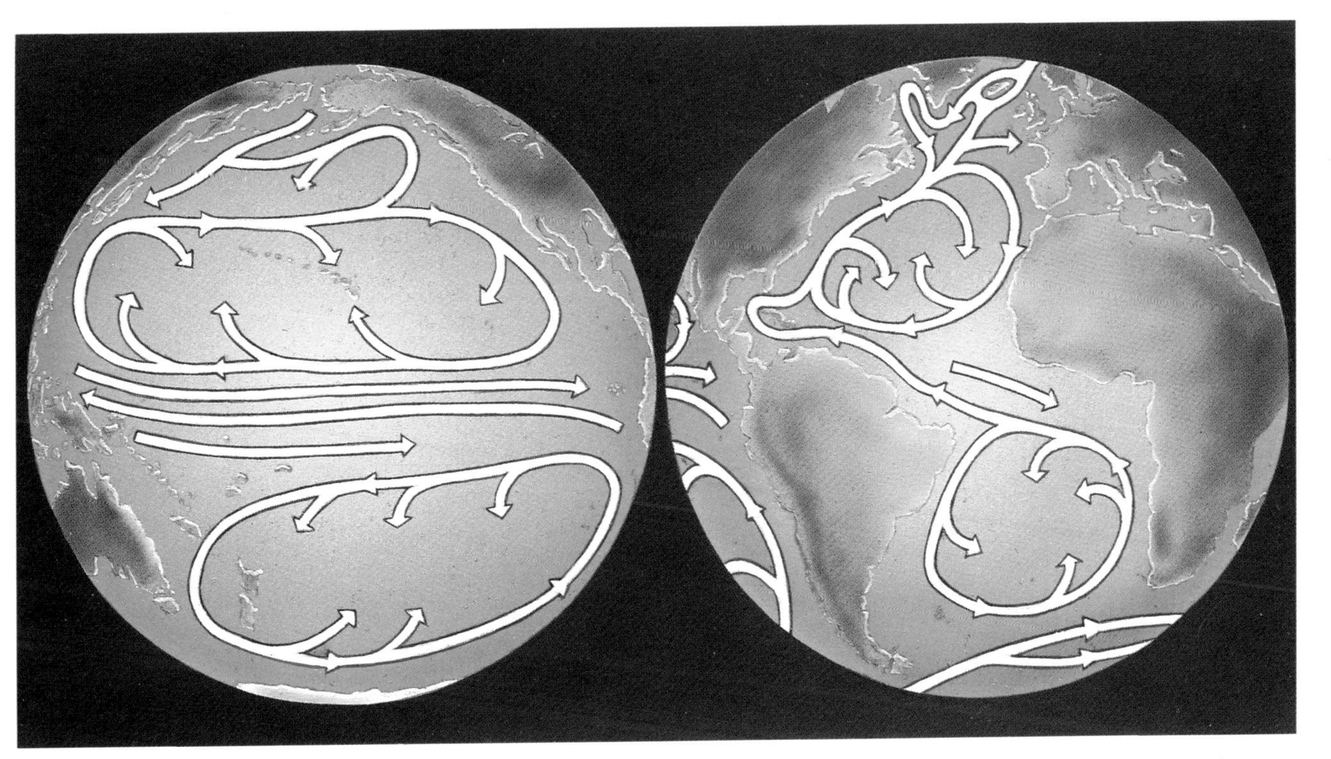

Comment peut-on retrouver des icebergs dans l'Atlantique ? Pourquoi certaines côtes du nord de l'Europe connaissent-elles des températures si douces ? Ces phénomènes sont principalement dus aux courants.

Des trajets bien précis

On connaît l'existence des grands courants marins depuis l'Antiquité, lorsqu'on s'est aperçu que, dans des zones précises de l'océan, les bateaux étaient déviés, malgré eux, de leur route. Sous l'effet de la rotation de la Terre, les courants tournent vers la droite dans l'hémisphère Nord et vers la gauche dans l'hémisphère Sud.

Des régulateurs de climat

Les courants de surface sont poussés par les vents, ce sont de véritables fleuves dans la mer. Ils traversent les océans dans tous les sens, amenant avec eux les eaux chaudes des zones tropicales ou les eaux froides des régions glacées. Sans eux, les pôles seraient encore plus froids et les tropiques plus chauds. Ainsi, le courant froid de Humboldt remonte le long de l'Amérique du Sud et refroidit les côtes des Galapagos.

Les courants de fond

Ils sont dus aux différences de taux de sel et aux variations de température. Les eaux plus salées ou plus froides coulent vers les fonds. Là, elles peuvent créer des courants froids. Ces courants circulent lentement mais transportent de grandes quantités d'eau.

Quand la mer devient

Depuis des millions d'années, la mer façonne les côtes, créant des paysages variés sur des milliers de kilomètres.

Rias et calanques

Parfois, la mer s'aventure à l'intérieur des terres, où elle se prend pour un cours d'eau ! Il peut alors se former des rias, des vallées envahies par la mer. Comme les fleuves, elles peuvent être très larges, serpenter à travers les terres ou se diviser en plusieurs bras. En Europe, on en rencontre en Bretagne et en Espagne. La calanque, elle, est une crique rocheuse répandue sur la Côte d'Azur. Les bateaux y ancrent à l'abri du vent et c'est souvent un agréable lieu de baignade.

Les fjords

Leur nom signifie bras de mer en norvégien. Ce sont des vallées en forme de U très profondes qui ont été creusées il y a très longtemps par les glaciers. Certains fjords suédois atteignent 1 200 m de profondeur. Les fjords pénètrent parfois loin à l'intérieur des terres, comme au Groenland, où l'un d'entre eux pénètre jusqu'à 313 km dans le pays.

Les falaises

Les falaises sont des côtes abruptes et très élevées qui descendent à pic sur la mer. La mer creuse d'abord dans les roches les plus tendres. Seules les parties les plus résistantes restent avancées dans la mer. Dans le Massachusetts, aux Etats-Unis, une falaise recule de 1,70 m par an !

le sculpteur de la terre

Les vagues usent les roches et provoquent des fissures et des grottes. Elles attaquent aussi le pied des falaises, qui, après de longues années, finissent par s'effondrer. La plus haute falaise du monde se trouve à Hawaii, sur l'île de Molokai : elle atteint plus de 100 m de haut !

La Chaussée des Géants

D'étranges côtes bordent le littoral est de l'Irlande. Ce sont des coulées basaltiques qui se sont refroidies et ont causé un découpage de roches hexagonales empilées sur 300 m de haut ! On raconte que ces pavés gigantesques ont été bâtis par un géant irlandais qui voulait rejoindre l'Ecosse depuis l'Irlande.

Des barrières de sable

Les dunes sont l'œuvre des grands vents du large qui ont transporté le sable de la plage à l'intérieur des terres.
En Gironde, la dune du Pilat atteint 110 m ! C'est la plus haute d'Europe ! Très fragile, elle est fixée par des plantes. Véritable barrière, cette dune fait dévier les vents et absorbe les embruns, mais, au fil du temps, il arrive que les dunes reculent vers les habitations.

D'où vient le sable ?

C'est une accumulation de particules peu à peu arrachées au continent par le vent, la mer, la pluie, et la neige. C'est le résultat de l'érosion. Des îles comme l'Islande possèdent des plages de sable noir ! Ce sont les restes des roches volcaniques.

Des espaces d'eau

Au Viet Nam, le delta du Mékong s'étend sur 40 000 km². C'est une région fertile pour les cultures.

Là où les fleuves se jettent dans l'océan, la mer n'est plus tout à fait la mer : c'est la rencontre progressive de l'eau douce et de l'eau salée. Les rivages se découpent de différentes façons suivant les embouchures des fleuves. On distingue les estuaires, les deltas, et les lagunes.

A l'arrivée des fleuves

Les fleuves déchargent en mer des tonnes de sédiments : boue, galets, restes de plantes et d'animaux. Ce sont des matières que les fleuves ont entraînées sur leur parcours. Ces sédiments sont déposés dès que les fleuves rejoignent la mer.

Les deltas

L'estuaire est l'embouchure du fleuve sur la mer, mais lorsque les courants et les marées sont trop faibles pour disperser les éléments apportés par le fleuve, les sédiments s'accumulent à l'embouchure et forment un delta qui peut atteindre des dimensions incroyables ! Le plus grand du monde, celui du Gange et du Brahmapoutre, a une superficie aussi grande que celle de l'Angleterre.
La forme du delta dépend du fleuve, de sa taille, de la vitesse à laquelle s'écoule son eau. Si les courants sont faibles, le delta s'étend comme les doigts écartés d'une main. Avec le temps, les sédiments s'entassent les uns sur les autres et le delta s'agrandit.

Un delta

Un estuaire

douce et d'eau salée

La célèbre ville de Venise est construite sur une lagune.

Le delta a généralement la forme d'un triangle. Dans ces régions, les terres sont très fertiles. On y fait donc beaucoup de cultures.

Un paysage d'îles

Des barrières de sable peuvent isoler les canaux que forment les deltas. Ainsi, 295 îles-barrières, créées par les apports du Mississippi, longent la côte du golfe du Mexique. Ce paysage d'îles délimité par des digues naturelles est régulièrement envahi par les crues du fleuve. Au fil du temps, le cordon de sable peut se rattacher à la côte de chaque côté et former ainsi une lagune. Celle de Venise est la plus célèbre. Les digues de sable naturelles protègent la terre des inondations et gagnent peu à peu de la distance sur la mer.

Des marais au bord de la mer

Les Wadden du littoral hollandais sont des zones régulièrement couvertes et découvertes par la mer. Véritables garde-manger, ces marais accueillent beaucoup d'espèces marines. Les oiseaux : échassiers, goélands, viennent nombreux se nourrir de vers et de mollusques... Dans le sud de la France, la Camargue est la région qui se situe entre les deux principaux bras du delta du Rhône. Elle présente un magnifique paysage de lagunes, de marais et de canaux. Les hommes ont aménagé cet espace salé et marécageux pour y planter des rizières, des vignes et du blé. On y élève des chevaux et des taureaux.
C'est également le paradis des superbes flamants roses.

Le puzzle terrestre

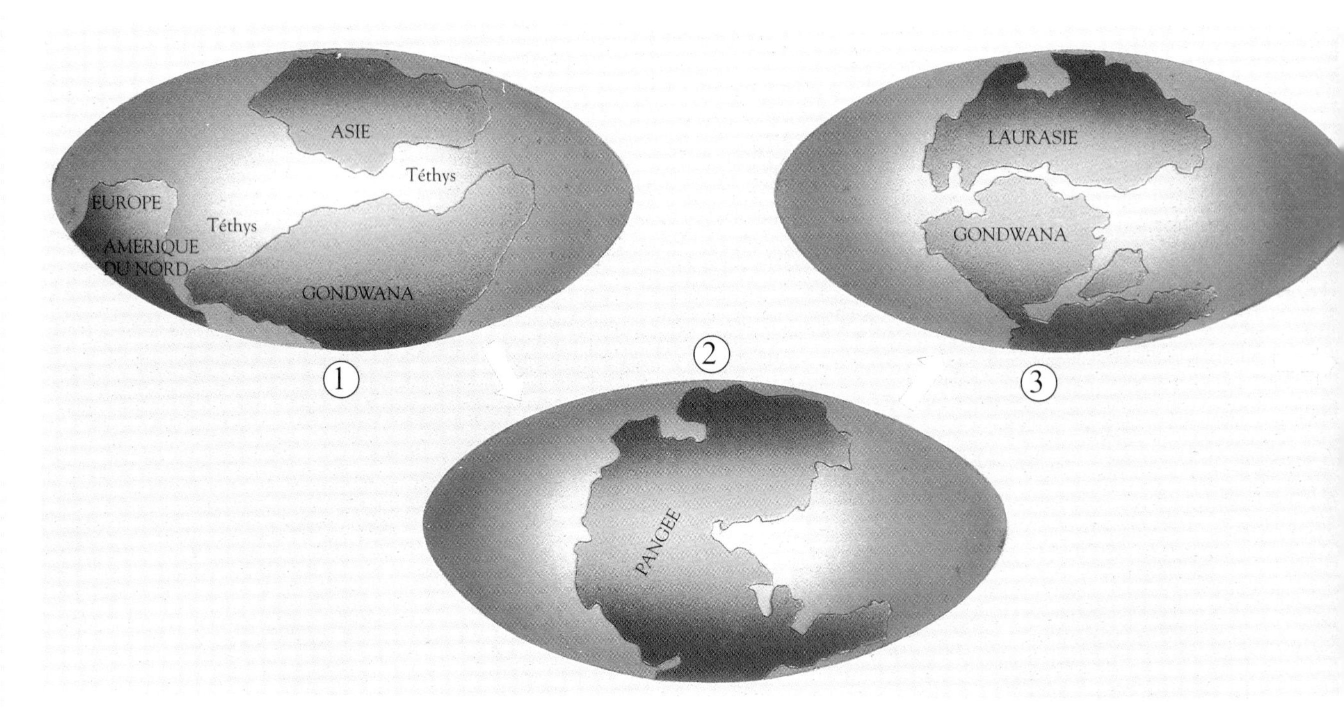

Les continents et les océans tels que nous les connaissons aujourd'hui sont le résultat du déplacement très très lent des plaques terrestres.

La Pangée, un seul et même continent

Il y a 400 millions d'années, 3 grands blocs constituent les premiers continents (1), mais, 150 millions d'années plus tard, ils glissent les uns vers les autres pour ne former qu'un seul et gigantesque continent : la Pangée (2). Celle-ci est constituée de deux sous-ensembles, la Laurasie au nord et le Gondwana au sud. La Laurasie comprend l'Amérique du Nord et l'Eurasie (l'Europe et l'Asie). Le Gondwana regroupe l'Amérique du Sud, l'Afrique, l'Inde, l'Australie et l'Antarctique. On distingue la Téthys, la première mer de la planète. Le reste du globe est recouvert par un vaste et unique océan appelé Panthalassa et qui est l' ancêtre de l'océan Pacifique actuel.

Un immense puzzle

La date à laquelle la Pangée a commencé à se diviser varie selon les hypothèses scientifiques. On a du mal à imaginer les continents se déplaçant comme des radeaux sur la croûte terrestre, et pourtant, si l'on observe bien une carte, on constate que la plupart des continents pourraient s'emboîter entre eux comme les pièces d'un puzzle ! En 1960, on a découvert que les plaques terrestres glissent sur une couche de roches en fusion, le manteau de la Terre.

La dérive des continents

Il y a 200 millions d'années,

reconstitué

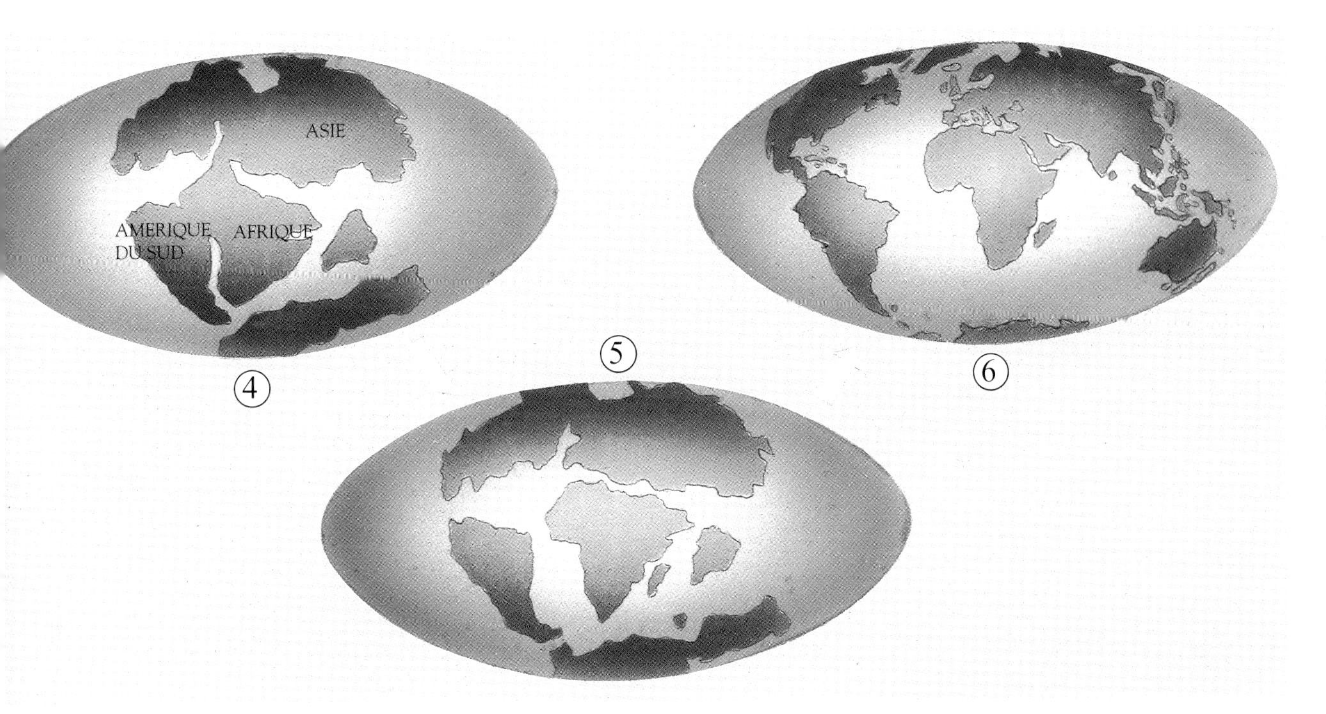

la Pangée s'est divisée (3). La Téthys sépare peu à peu le Gondwana de la Laurasie, l'océan Atlantique n'est pas encore distinct et le Gondwana commence à se fragmenter. L'Amérique du Sud reste toujours attachée à l'Afrique. Il y a 135 millions d'années (4), la Laurasie et le Gondwana se brisent et s'éparpillent. La Téthys s'étend tandis que l'Atlantique se creuse.

Le visage actuel de la Terre

Il y a 64 millions d'années (5), la Terre ressemble de plus en plus à ce qu'elle est de nos jours (6). Les océans Indien et Atlantique s'élargissent et le Pacifique rétrécit. L'Inde dérive au nord et n'est plus très loin de l'Asie.
Sous l'effet du mouvement des plaques géologiques, les bords de la Téthys remontent et les futures Alpes émergent. Aujourd'hui, la dérive des continents entre l'Antarctique et l'Afrique n'est que de 1 cm par an et, tous les ans, l'Europe s'écarte de 2 cm de l'Amérique. D'ici à 50 millions d'années, l'Australie devrait poursuivre sa route vers le nord, la mer Rouge s'ouvrir, la corne de l'Afrique se détacher, et la Méditerranée (ancienne Téthys) pourrait disparaître.

Il y a 135 millions d'années environ, l'Afrique s'emboîtait avec l'Amérique du Sud.

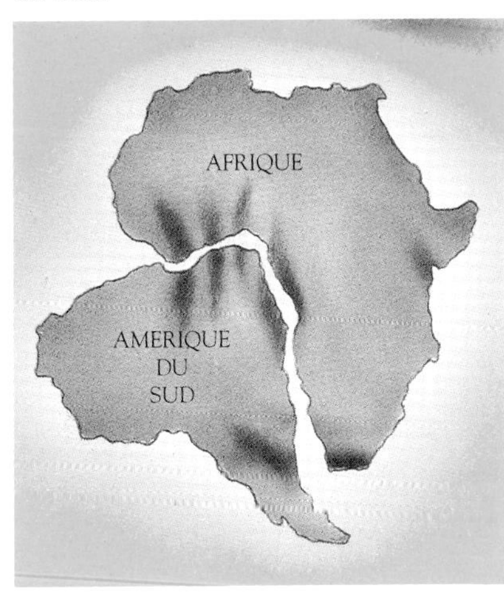

Des paysages

Les océans cachent d'étonnants reliefs constitués de montagnes, de plaines, de vallées et de gouffres vertigineux.

Le plateau continental

Il y a environ 10 000 à 12 000 ans, la fonte des glaces a provoqué une élévation du niveau de la mer. Les bords de certains continents, inondés par les eaux marines, se transformèrent alors en plateaux continentaux dont la profondeur atteint environ 200 m, sauf dans l'Antarctique, où le plateau descend jusqu'à plus de 400 m. L'Europe et la côte est des Etats-Unis sont bordées de plateaux continentaux submergés.
Le plateau se termine par un talus, une zone étroite qui descend brutalement vers les plaines abyssales.
Cette pente est parfois entaillée par de véritables gorges de plusieurs kilomètres de long, creusées par des courants sous-marins lors des tempêtes et des glissements de terrain. Parfois, il n'y a pas de talus et on passe brutalement de la terre aux profondeurs de l'océan.

Les plaines abyssales

Elles peuvent atteindre 2 000 km de largeur. Leur superficie est deux fois plus grande que celle des terres émergées ! Les plaines abyssales se situent entre 3 500 et 6 000 m de profondeur. Ce sont les régions les plus plates du globe, mais ici et là on y trouve quelques monts sous-marins. Elles sont plus nombreuses dans les océans Atlantique et Indien.

sous les mers

Sous la mer comme sur terre, il y a des reliefs variés et surprenants.

Des montagnes sous-marines

Les dorsales océaniques représentent un tiers de la superficie des fonds marins. Ces montagnes, qui peuvent atteindre environ 4 000 m de haut, mesurent en moyenne 600 km de large.
Elles représentent les zones de contact des plaques qui composent la croûte terrestre et qui se poussent.

Les cicatrices de la Terre

Ces dorsales seraient dues à la montée du magma présent dans le manteau de la Terre, une zone où les roches sont ramollies par leurs très hautes températures. Sous l'effet d'un tremblement de terre, les plaques océaniques s'écartent de chaque côté de la dorsale, laissant passer le magma brûlant.
Sur la dorsale atlantique, le rift, fissure de l'écorce terrestre, ne cesse de s'ouvrir et de se refermer sous l'action des roches bouillonnantes.

Les fosses sous-marines

Les fosses océaniques sont des ravins profonds et étroits. Elles sont dues à la rencontre de deux plaques ou au glissement d'une plaque océanique sous une plaque continentale.
D'environ 100 km de large, les fosses peuvent avoir une profondeur supérieure à 10 km. Elles bordent généralement les continents, notamment la façade ouest de l'Amérique du Sud.
La fosse qui se trouve au large du Pérou et du Chili s'étend sur 2 000 km de long !

Un tiers du globe terrestre

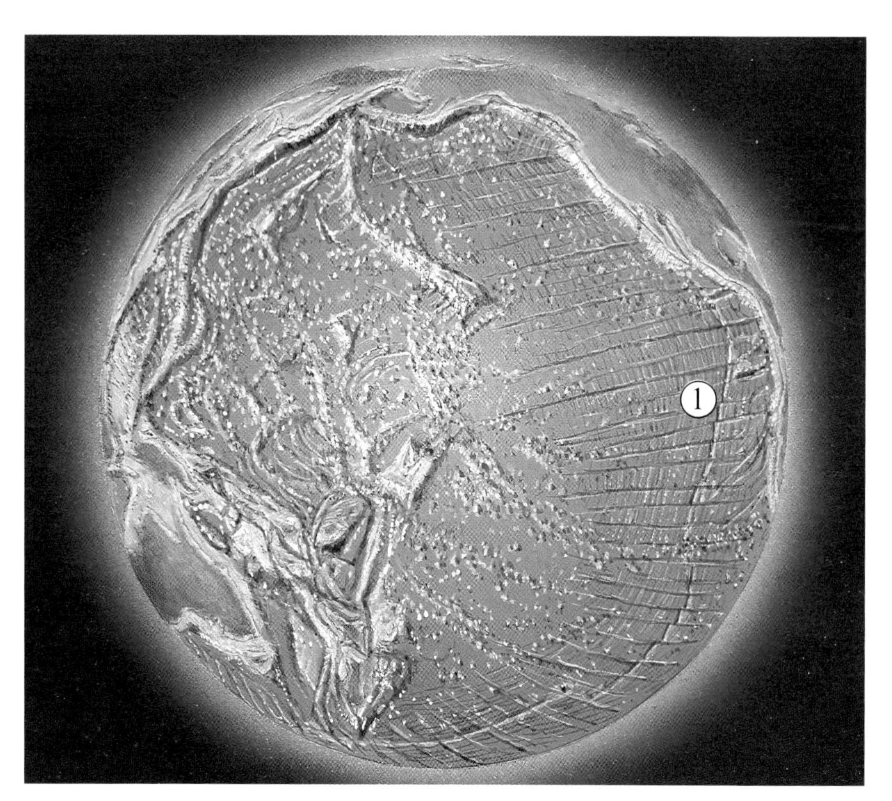

Deux fois plus grand que l'Atlantique, l'océan Pacifique est le plus étendu de la planète.

Il est délimité par l'Asie, la côte Est de l'Australie, l'Antarctique et la côte Ouest du continent américain. A son endroit le plus large, il mesure 17 700 km. Ses eaux cachent les fosses les plus profondes du monde (près de 11 km pour la fosse des Mariannes), mais aussi des chaînes de montagnes, des failles, des monts sous-marins, des milliers d'îles volcaniques et des formations coralliennes.

Traversé par une longue dorsale (1)

Le Pacifique est traversé du nord au sud par la dorsale océanique du Pacifique Est. Il s'agit d'une chaîne de montagnes sous-marines haute d'environ 2,5 km et large de 4 km qui sépare le Pacifique en deux parties inégales. Cette dorsale correspond à la rencontre de deux plaques qui se poussent, grandissent et provoquent des fissures appelées failles. Celles-ci s'étendent sur des milliers de kilomètres. L'une d'elles, la faille de San Andreas, se prolonge sur le continent américain en Californie et cause d'importants tremblements de terre.

Le Pacifique est-il le trou laissé par la Lune ?

Des astronautes ont rapporté de leur voyage sur la Lune des morceaux de matière qui ont le même âge que notre Terre. On a donc pensé que la Lune pourrait être un morceau de notre planète, qui se serait détaché lors d'une collision avec un astéroïde géant. Le trou laissé aurait donné naissance à l'océan Pacifique.

La faille de San Andreas commence dans le Pacifique et se poursuit sur le continent américain.

Un océan de records

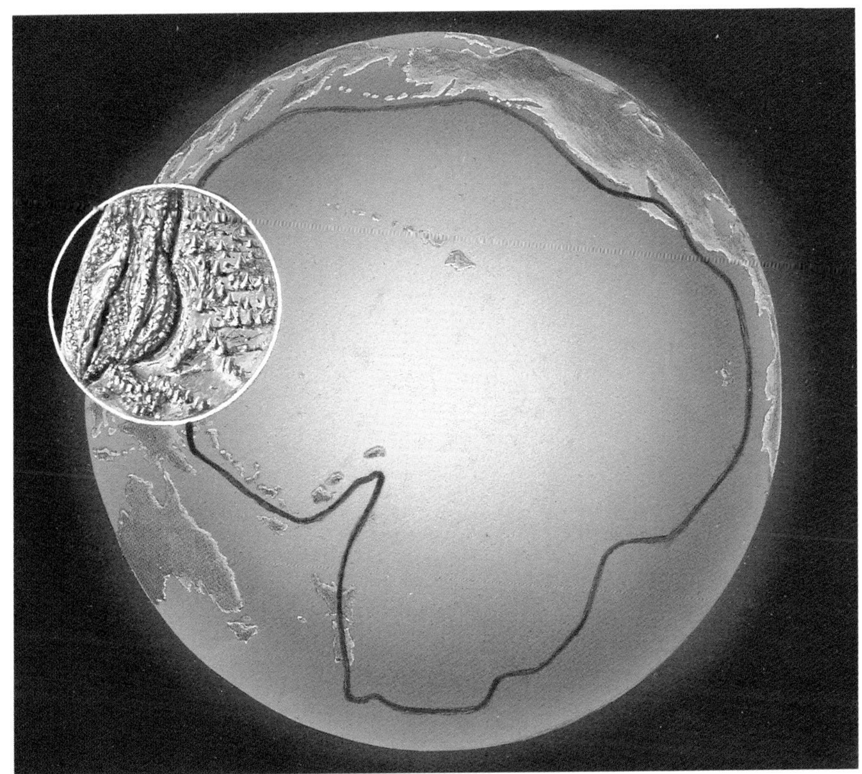

En rouge, la Ceinture de feu, qui encercle le Pacifique et, en détail, la fosse la plus profonde du monde.

C'est dans l'océan Pacifique que se trouvent les points les plus profonds de la planète, ainsi qu'une véritable enceinte de volcans appelée Ceinture de feu.

Une fosse de 11 km de profondeur !

Les fosses qui bordent le Pacifique sont les plus profondes du monde. Elles sont nombreuses à dépasser 7000 m. Le record est détenu par la fosse des Mariannes, située à l'est des Philippines : elle s'enfonce jusqu'à 11 000 m environ. On a calculé qu'un galet de 1 kg mettrait plus d'une heure pour atteindre le fond.

La Ceinture de feu

C'est le surnom donné à la gigantesque chaîne de volcans qui encercle le Pacifique. Elle est née à la suite des différents mouvements de plaques qu'a connus cet océan. Certaines parties de cette ceinture sont de véritables guirlandes de cratères, comme dans la cordillère des Andes ou le long de la Californie. Dans ces régions, les éruptions volcaniques sont nombreuses et les tremblements de terre parfois catastrophiques.

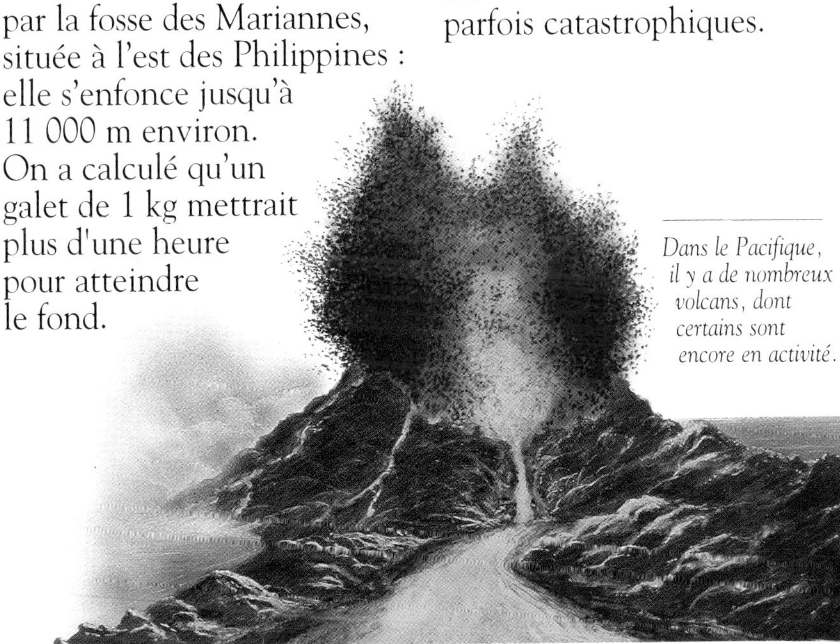

Dans le Pacifique, il y a de nombreux volcans, dont certains sont encore en activité.

Des volcans dans la mer

Au fond de l'océan existent des volcans sous-marins. Certains émergent et forment des îles. Ils sont nombreux dans l'océan Pacifique.

Les îles Hawaii : des points chauds du globe

En plein Pacifique, l'archipel des îles Hawaii représente un ensemble de 130 îles volcaniques alignées les unes derrière les autres, qui s'étend sur 2 400 km. Elles forment une véritable guirlande. Dans l'océan, il existe des endroits appelés points chauds où des colonnes de lave brûlante remontent du manteau, jaillissent dans la mer jusqu'à la surface et donnent ainsi naissance à des volcans. Ces colonnes sont situées dans le manteau terrestre au-dessous du niveau de glissement des plaques. Lorsque la lave monte, elle perfore ces plaques comme un crayon percerait une feuille de papier (voir schéma).

Le plus haut volcan du monde

Le Mauna Kea est un volcan des îles Hawaii, aujourd'hui éteint. Déjà très impressionnant avec ses 4 206 m qui surgissent au-dessus de l'eau, c'est un géant. Si l'on ajoute la partie cachée sous l'océan, sa hauteur est alors de 10 km !

Une île éphémère

En janvier 1986, au large du Japon, jaillit soudain un nuage de magma, de fumée et de gaz. Le volcan Fukutokuokanoba, qui sommeillait au fond de l'océan, venait de se réveiller, donnant naissance à une île ! Cette île s'élevait à 20 m au-dessus du niveau de la mer. Mais, 2 mois plus tard, elle fut emportée par les vagues.

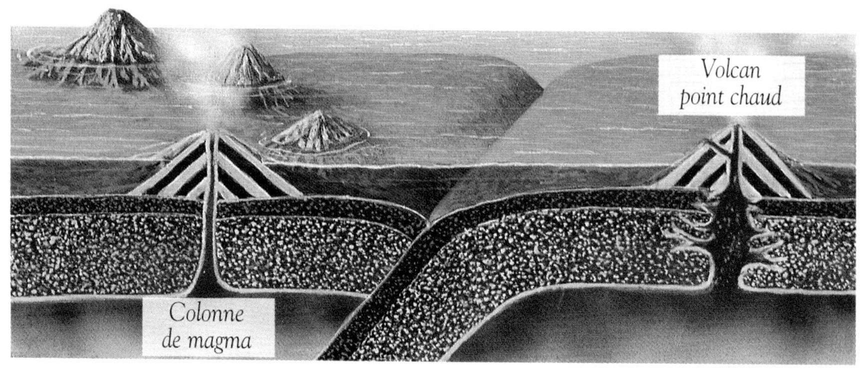

D’étranges fumées

Les fonds des océans cachent d’étonnantes sources chaudes qui ressemblent à des fumées noires et blanches. Elles sont nombreuses dans le Pacifique, entre le Japon et les Philippines.

Des cheminées géantes

Les sources jaillissent en permanence et déposent sur leur passage de la matière qui, en refroidissant, forme ces monticules que l’on nomme cheminées. Leur hauteur peut atteindre plus de 10 m et leur diamètre environ 2 m.

Les cheminées abyssales peuvent fonctionner environ 70 ans. Au fil du temps, le soufre finit par les boucher, empêchant les eaux de jaillir. Ces cheminées sont très fragiles et peuvent se briser au moindre choc.

Une eau à plus de 300 °C

Ces cheminées sous-marines crachent des nuages noirs contenant du soufre et beaucoup d’éléments minéraux. Par des fissures au fond des océans, l’eau de mer pénètre parfois à des centaines de mètres.
Elle se réchauffe au contact des roches en fusion et rejaillit ensuite sous forme de geysers à plus de 300 °C !
Les sources qui crachent des fumées blanches sont moins chaudes et contiennent moins de minéraux. Malgré la température très élevée des sources, l’eau environnante ne dépasse pas 2 °C.

Les premières sources chaudes ont été découvertes à 2 500 m de profondeur, à l’aide du sous-marin Alvin.

La merveille du Pacifique

Le sable blanc, constitué de débris de coraux, s'accumule par endroits et forme des plages.

Il y a sur la Terre des milliers de kilomètres carrés de récifs coralliens. La Grande Barrière australienne, longue de 2 400 km, est la plus grande étendue de corail au monde.

C'est l'une des plus grandes constructions naturelles bâties par des êtres vivants. Elle est composée de 210 récifs qui abritent un vrai paradis exotique : 1 500 espèces de poissons de toutes les couleurs, étoiles de mer magnifiques, anémones, éponges... Les coraux eux-mêmes ont des formes et des teintes superbes.

Un milieu très actif

Vieille de 18 millions d'années, cette Grande Barrière est formée de 400 espèces différentes de coraux : grands napperons ajourés, bouquets de fleurs, dentelles..., qui ont trouvé là des eaux claires et chaudes pour se développer. Chaque corail édifie son squelette, consolidé par des algues et des morceaux de coquilles. Dès que des coraux ont réussi à coloniser un espace libre, d'autres les aident à poursuivre la construction de l'édifice. Mais la Grande Barrière ne grandit que de quelques millimètres par an, car il faut environ 20 ans à une colonie de coraux pour construire un récif de la taille d'un ballon de football.

Le rôle du vent

Du côté où souffle le vent, la pente du récif est raide et les vagues s'y brisent brutalement. Dans la direction contraire à celle du vent, la pente est plus douce.

Le phénomène de Noël

Le phénomène d'El Niño a des conséquences sur la mer et sur le climat. Il entraîne la disparition du poisson au large du Chili et provoquerait d'importantes pluies sur tout l'est du Pacifique.

El Niño, qui signifie le Petit Jésus en espagnol, est un curieux phénomène que les pêcheurs redoutent et qui survient environ tous les 5 ou 6 ans, à la période de Noël, au large des côtes chiliennes et péruviennes.

Le mystère autour d'*El Niño*

Ce phénomène correspond à un blocage soudain de la remontée des eaux froides du fond de l'océan, ce qui provoque un réchauffement général de l'eau qui est en surface et de l'atmosphère. Mais les scientifiques restent partagés sur les origines exactes de ce bouleversement de la nature.

De graves conséquences

En temps normal, les côtes du Pérou et du Chili bénéficient de la remontée des eaux froides des profondeurs qui apportent la nourriture microscopique nécessaire aux poissons. Mais, quand *El Niño* survient, ces remontées ne se font plus et la mer est appauvrie. Le poisson se raréfie et les pêcheurs ne trouvent plus d'anchois, d'ordinaire très abondants dans cette région du Pacifique.
En 1983, 14 millions de sternes et 3 millions d'oiseaux d'autres espèces sont morts de faim à cause de ce manque de poissons.

Des catastrophes en série

Des scientifiques affirment que, lorsque *El Niño* apparaît, il bouleverserait aussi le climat et qu'à l'est du Pacifique les côtes américaines recevraient de grandes quantités de pluies.
A l'ouest, les cyclones tropicaux se multiplieraient et de graves sécheresses surviendraient en Asie du Sud-Est à cause de cet étrange phénomène.

Un trait d'union entre l'A

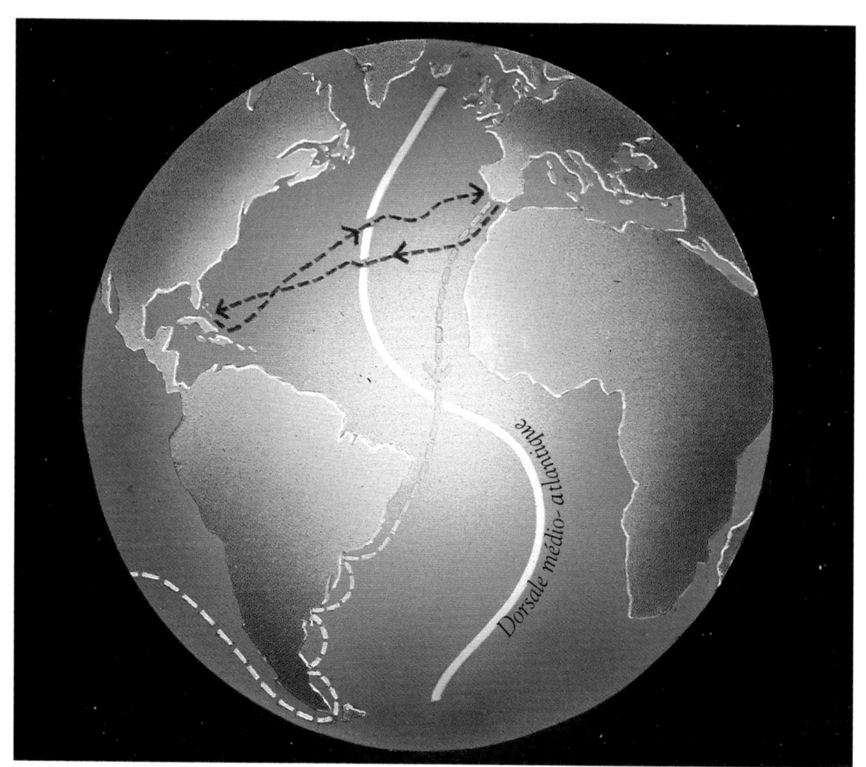

En rouge, le premier voyage de Christophe Colomb, en 1492. En jaune, celui de Magellan en 1519.

Deuxième océan du globe, l'Atlantique représente un cinquième de la surface terrestre. Tout en longueur, il s'étend d'un océan glacial à l'autre et traverse ainsi tous les climats.

Comme un "S"

L'Atlantique a la forme d'un gigantesque "S". Assez étroit, il ne dépasse pas 9 600 km dans sa plus grande largeur. C'est aussi un océan peu profond (en moyenne 3 000 m), malgré la fosse de Porto Rico, qui descend à plus de 9 000 m. Il est alimenté par les plus grands fleuves du monde (Amazone, Zaïre, Niger...) et reçoit les eaux douces provenant des glaciers du Groenland et de l'Antarctique. Malgré cela, il reste parmi les trois océans les plus salés et c'est aussi le plus chaud en moyenne.

La plus longue chaîne de montagnes du monde

Comme il a été exploré tôt, on connaît assez bien le fond de l'Atlantique. Il cache une immense chaîne de montagnes qui le sépare en deux : la dorsale médio-atlantique. Elle ressemble à une longue colonne vertébrale qui descend l'Atlantique du nord au sud sur 11 300 km !

Très tôt, les Vikings ont traversé l'Atlantique sur leurs drakkars.

ien et le Nouveau Monde

Un des premiers explorés
Très tôt, l'océan Atlantique a été sillonné par les marins. Au temps des grandes découvertes, c'est le premier dont les navigateurs ont pu réaliser des cartes. Ceux qui l'ont traversé pour la première fois pour rejoindre l'Amérique sont certainement les Vikings et les Basques chasseurs de baleines. Les plus grands explorateurs s'y sont aventurés : Christophe Colomb, Vasco de Gama, Magellan, Jacques Cartier... C'est aussi dans l'Atlantique, en 1849, qu'a été lancée la première grande exploration sous-marine pour la pose d'un câble télégraphique. A cette occasion fut inventé un sondeur pour mesurer la profondeur des océans.

Un océan très poissonneux
Les eaux de l'océan Atlantique sont les plus poissonneuses du monde. Les harengs migrent en bancs immenses et font le bonheur des pêcheurs européens. Anchois et morues sont aussi très nombreux. Malheureusement, à cause des pêches de plus en plus intensives, les poissons se raréfient.

De magnifiques paquebots
Dès 1936, le *Queen Mary* (ci-contre), avec ses 335 m de long, offre à ses passagers la traversée de l'Atlantique Nord. C'est la plus rapide et la plus luxueuse des croisières de l'époque. En treize ans, le paquebot *France* a franchi 377 fois l'Atlantique.

L'une des caravelles de C. Colomb qui traversa l'Atlantique.

Un univers obscur

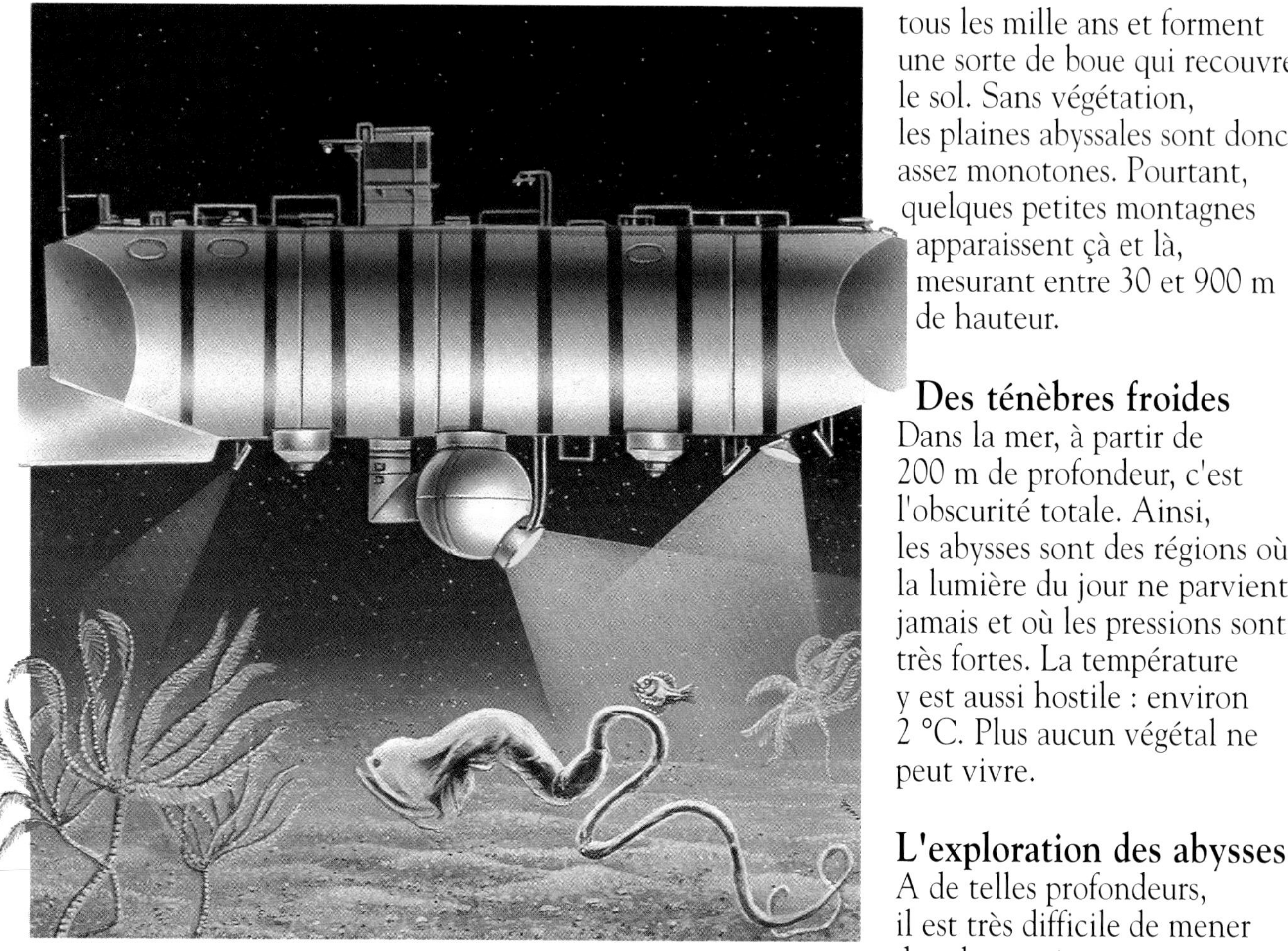

Les plaines abyssales s'étendent entre le talus continental et les dorsales océaniques. Elles se situent entre 4 000 et 6 000 m de profondeur. Elles sont nombreuses dans l'océan Atlantique. Ce sont des paysages peu accueillants où la lumière ne parvient plus et où il fait froid.

Des plaines monotones

Elles forment d'immenses cuvettes dont le fond plat est tapissé de dépôts, appelés sédiments. Ces couches de sédiments s'accumulent au fond des océans durant des millions d'années à raison d'une dizaine de millimètres tous les mille ans et forment une sorte de boue qui recouvre le sol. Sans végétation, les plaines abyssales sont donc assez monotones. Pourtant, quelques petites montagnes apparaissent çà et là, mesurant entre 30 et 900 m de hauteur.

Des ténèbres froides

Dans la mer, à partir de 200 m de profondeur, c'est l'obscurité totale. Ainsi, les abysses sont des régions où la lumière du jour ne parvient jamais et où les pressions sont très fortes. La température y est aussi hostile : environ 2 °C. Plus aucun végétal ne peut vivre.

L'exploration des abysses

A de telles profondeurs, il est très difficile de mener des observations. Un des premiers sous-marins à avoir vaincu les grandes profondeurs est le *Trieste 1* en 1960. Il détient d'ailleurs encore aujourd'hui le record de plongée : 10 916 m ! Les plaines abyssales sont tellement étendues qu'une toute petite partie seulement a été étudiée. Il reste donc encore bien des mystères à élucider sur ces régions.

Le royaume des anguilles

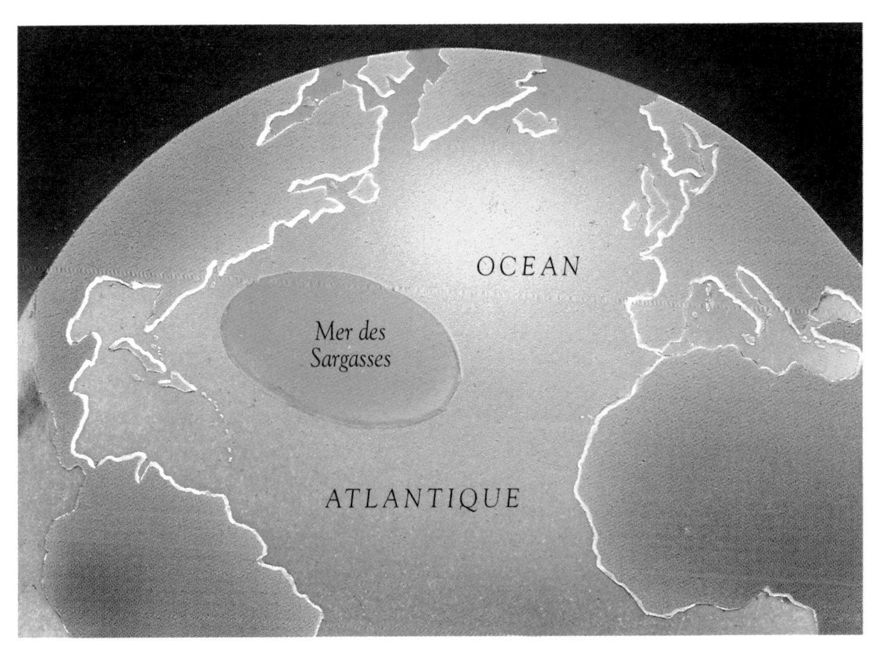

Dans les océans, les courants créent des anneaux qui délimitent des zones très calmes. C'est le cas de la mer des Sargasses, dont les eaux sont réputées pour être très paisibles. Elle est située dans le nord-ouest de l'Atlantique et sa superficie représente plus de la moitié des Etats-Unis !

Une mer tranquille et chaude

La mer des Sargasses est encerclée par un anneau de courants, le Gulf Stream, le courant de l'Atlantique Nord, celui des Canaries et celui de l'Equateur Nord. A l'intérieur de cet espace, les eaux sont presque immobiles. Cela favorise leur réchauffement par le soleil. Les températures sont donc très élevées : près de 25 °C en surface et 17 °C à 400 m de profondeur. La deuxième particularité de la mer des Sargasses est d'être très salée. En effet, éloignée des côtes et entourée par les courants, elle ne reçoit pas d'eau douce du continent. Et les très rares pluies ne lui en apportent pas plus.

Des millions de grappes d'algues

Dans cette mer flottent des millions de sargasses. Ce sont les marins portugais qui ont donné à ces grappes d'algues le nom d'une espèce de raisin à laquelle elles ressemblent. Cette mer accueille peu d'animaux, mais c'est dans ses eaux que viennent se reproduire les anguilles. Parmi les 10 espèces de sargasses présentes dans cette mer, deux seulement viennent des profondeurs. Les autres ont été arrachées aux côtes de la Floride, du Mexique et de la Jamaïque. Elles arrivent en masse à la saison des cyclones, puis elles stagnent et se multiplient.

Cette mer abrite peu d'animaux, à part les anguilles et de petits crustacés.

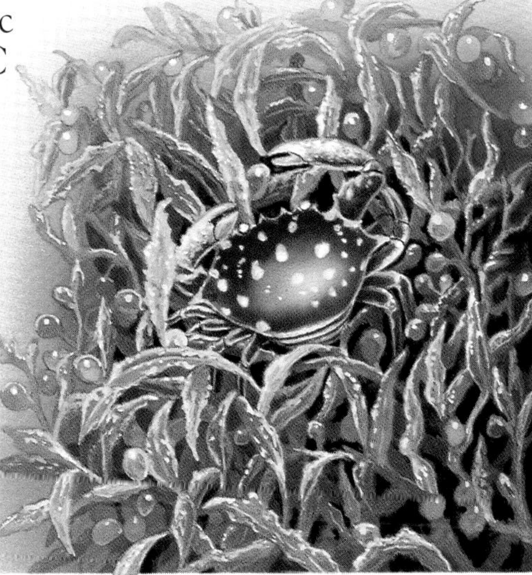

Des coulées brûlantes

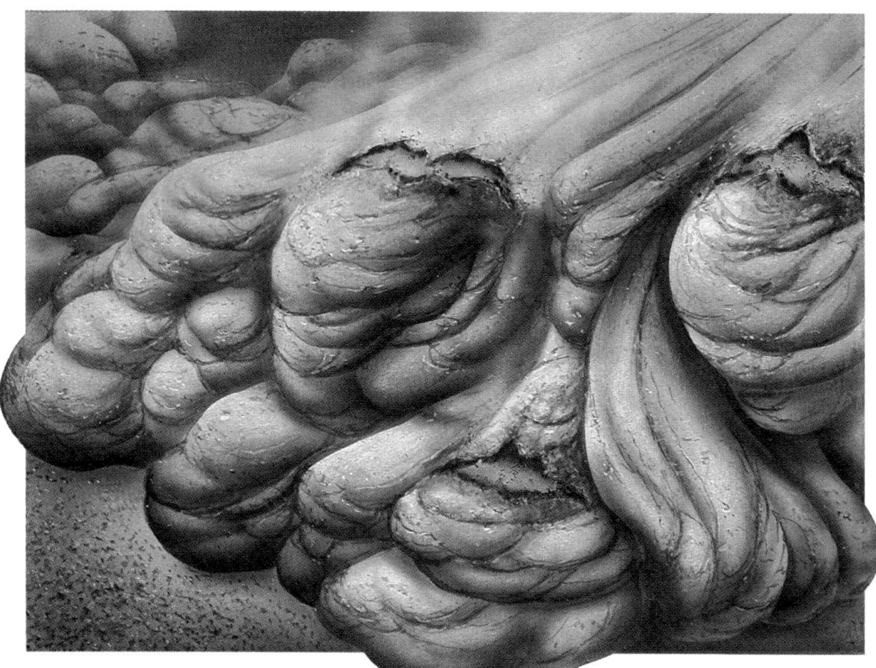

Sous la mer, le long des fissures volcaniques, la lave brûlante jaillit brutalement et entre en contact avec l'eau froide. Elle forme alors des "coussins" ou "oreillers". La lave peut également former d'étranges tunnels.

Des oreillers chauds et bosselés !

En surface, cette lave refroidit rapidement mais reste longtemps très chaude à l'intérieur. Ces gros coussins sont recouverts d'une peau striée dont la formation est provoquée par la grande différence de température entre la lave et la mer.

Le tunnel de l'Atlantida, aux Canaries, est unique : c'est le plus lont tube de lave connu au monde qui se prolonge aussi loin sous la mer.

Le plus long tube de lave du monde

Dans l'archipel des îles Canaries, dans l'Atlantique, l'éruption d'un volcan a donné naissance, il y a des millions d'années, à un fabuleux tunnel de lave de 7 km de long : le tunnel de l'Atlantida. Il est né des coulées de lave qui sont descendues du volcan jusqu'à l'océan. Il comporte plusieurs grottes dont l'une, encore au-dessus du niveau de la mer, a même été transformée en restaurant.

Un lieu de vie

Plus de 30 espèces d'animaux vivent dans la partie submergée du tunnel. On y rencontre notamment des crustacés blancs et aveugles comme dans les abysses.

Des perturbateurs de climat

Si le Gulf Stream n'existait pas, la France connaîtrait des températures de -40°C.

Les principaux courants de l'Atlantique sont le Gulf Stream au nord et le courant du Benguela au sud.

Le Gulf Stream

En 1777, un Américain, Benjamin Franklin, tente d'expliquer pourquoi les bateaux anglais qui vont en Amérique mettent quinze jours de plus à l'aller qu'au retour. Il interroge alors les pêcheurs, et ceux-ci lui révèlent l'existence d'un courant. Franklin en trace le trajet sur une carte.

Il apporte de la douceur.

Le Gulf Stream naît de la rencontre de deux courants chauds équatoriaux dans le golfe du Mexique et la mer des Caraïbes. Il forme un véritable fleuve sous-marin qui traverse l'Atlantique en direction du nord de l'Europe. Ses eaux tièdes adoucissent le climat de toutes les côtes atlantiques de l'Europe. C'est grâce à lui que l'on peut voir des palmiers en Bretagne, à l'ouest de la France, et au sud de l'Angleterre !

Une eau froide au bord du désert

Le courant du Benguela, lui, remonte de l'océan Glacial Antarctique vers l'équateur, le long du désert du Namib, des côtes de l'Angola, du Congo et du Gabon. Il apporte des eaux glacées qui refroidissent l'océan à 12°C. Cette rencontre de l'air chaud du désert et de l'air froid de l'océan provoque la formation d'un brouillard épais qui enveloppe l'intérieur des terres pendant un tiers de l'année .

Un océan toujours glacé

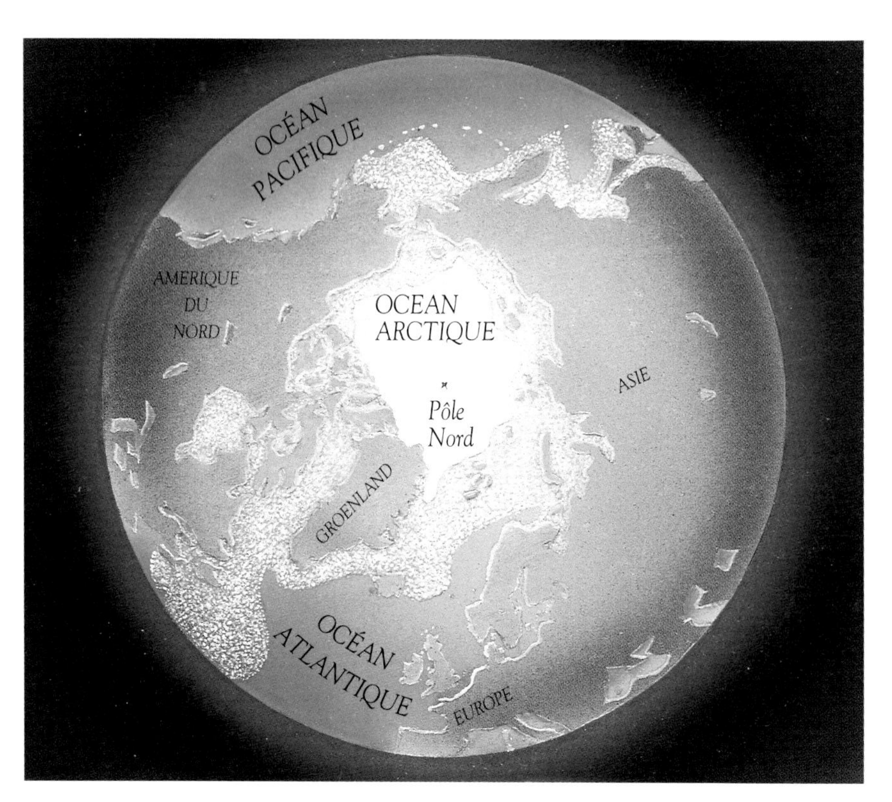

L'océan Arctique est le plus petit et le moins profond de tous les océans ! Presque fermé, il est toujours gelé et en majeure partie recouvert par une épaisse banquise. Le pôle Nord ne se trouve pas sur terre, mais en pleine mer glacée.

Une mer de glace

La banquise de l'océan Arctique est le résultat de la congélation de l'eau de la mer. Elle peut couvrir une superficie aussi grande que le Canada ou la Chine. C'est en hiver que la banquise est la plus épaisse, mais elle ne dépasse pas 3,60 m.

Elle est toujours en mouvement : elle avance, recule et se fragmente. Les morceaux qui s'en détachent se frottent les uns contre les autres et forment des plaques plus ou moins grandes.

L'activité humaine

Même si les conditions de vie dans cette région sont très difficiles pour l'homme, l'Arctique n'est pas un océan désert, car il renferme une grande richesse : le pétrole. Mais l'exploitation est risquée, car en cas de marée noire les dégâts pourraient être catastrophiques. Ainsi, au large de l'Alaska, en 1989, s'est produite l'une des plus graves marées noires : 40 000 tonnes de pétrole ont été déversées, des milliers d'oiseaux et de mammifères marins ont été touchés.

Le brise glace est le seul à pouvoir se frayer un chemin à travers la banquise.

Une longue expédition

Fridtjof Nansen, explorateur et scientifique norvégien de la fin du XIXe siècle, rêve d'atteindre le pôle Nord. Il décide de se laisser porter en suivant les courants.

Une préparation sérieuse

Nansen s'appuie sur l'exemple de la *Jeannette*, un navire échoué dans le détroit de Béring et qui a dérivé involontairement près du Pôle. Ce voyage nécessite la construction d'un bateau suffisamment résistant, capable de supporter la pression des glaces. Nansen et ses 12 compagnons, marins et savants, lèvent l'ancre à bord de leur bateau le *Fram*, en juin 1893. Auparavant, ils ont pris soin de prendre assez de provisions pour vivre durant plus de 5 ans !

1 600 km à travers les glaces

Après avoir longé la côte russe, le *Fram* atteint la mer de glace et la Nouvelle-Sibérie. Puis, pris par les glaces, le *Fram* dérive lentement pendant plus de 18 mois en direction du Pôle, mais il ne l'atteint pas. Le capitaine quitte alors son bateau et, avec l'un de ses compagnons, continue le voyage en traîneau. Les deux hommes ne parviennent pas au pôle Nord. Epuisés, ils rebroussent chemin jusqu'à la Terre François-Joseph, où ils sont récupérés en 1896 par un bateau qui était parti à leur recherche. Durant ces trois années, le *Fram* et ses marins ont, eux, poursuivi leur dérive sur plus de 1 600 km !

D’énormes glaçons

Les navigateurs ont observé plus de 95 formes différentes d’icebergs. Ici on peut distinguer un “scorpion de glace” sur l’Arctique.

Un iceberg est un énorme bloc de glace d’eau douce qui se détache d’un glacier et qui flotte à la surface des océans les plus froids du monde.

Deux types d’icebergs

Il y a deux principaux types d’icebergs : ceux de l’Antarctique, qui sont plats comme la surface d’une table et que l’on appelle tabulaires, et ceux de l’Arctique, dont la plupart viennent des glaciers du Groenland et qui ont des formes plus hautes et plus découpées.

Méfiance !

Les icebergs venus du Groenland, sont portés par différents vents et courants qui les font dériver dès le printemps le long de la côte Est de l’Amérique du Nord, parcourant parfois 25 km par jour. Ils deviennent alors dangereux pour les nombreux navigateurs.

Des tailles incroyables !

Les icebergs tabulaires de l’Antarctique sont parfois immenses. En 1956, on en a repéré un plus grand que la Belgique ! C’est au Groenland que l’on a observé le plus haut : il dépassait la surface de l’eau de 160 m, soit la hauteur d’un gratte-ciel de 60 étages ! Les icebergs peuvent naviguer des années. L’un d’eux a pu être suivi pendant 17 ans !

La partie émergée d’un iceberg ne représente qu’un cinquième de sa taille totale !

Glacial et agité

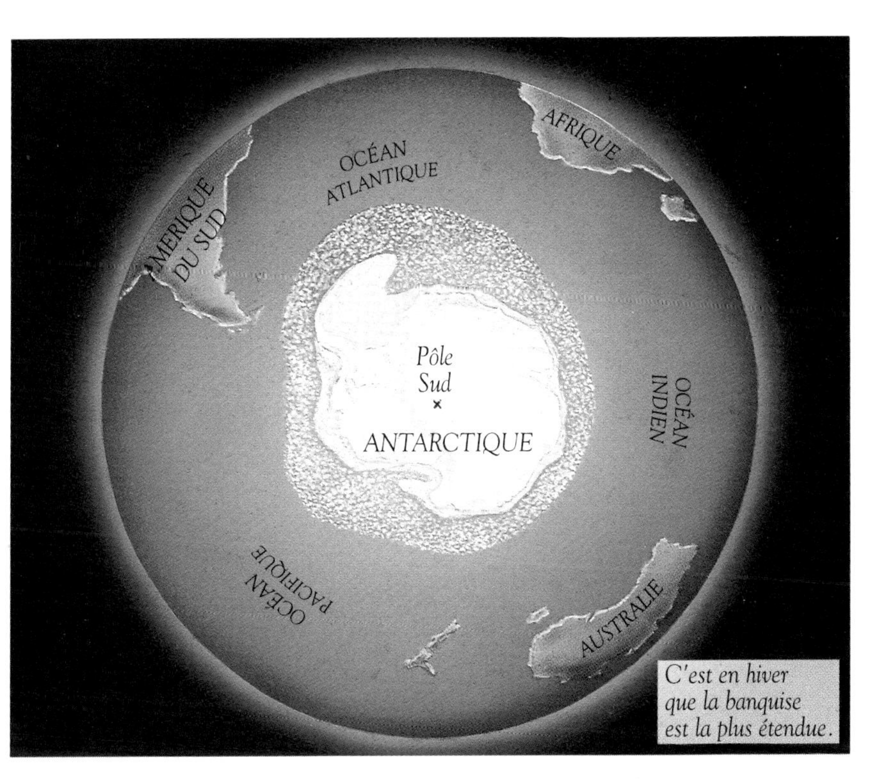

C'est en hiver que la banquise est la plus étendue.

L'océan Glacial, qui encercle de tous les côtés le continent Antarctique est aussi appelé océan Austral. De forme plutôt ronde, il est au carrefour des océans de la planète et se termine là où apparaissent les eaux plus chaudes de l'Atlantique, du Pacifique et de l'océan Indien.

Les 40es Rugissants

C'est le nom donné à une zone de l'océan Antarctique bien connue des navigateurs pour ses dangers. A cet endroit, la rencontre des vents froids du pôle Sud et de l'air plus chaud des régions tempérées provoque des tempêtes et des cyclones redoutables. La houle y est la plus forte du monde et la mer est démontée presque en permanence.

La banquise australe

Dès que l'été s'achève, sur la mer, l'eau commence à geler et petit à petit la glace gagne plusieurs mètres d'épaisseur. Mais la banquise ne forme pas une seule grande plaque. Par endroits, des passages d'eau libre peuvent être empruntés par les bateaux. Malheureusement, ce sont de véritables pièges lorsque la banquise se referme et qu'elle emprisonne les navires. L'ensemble de la mer de glace représente en hiver une couronne de 1 000 km de large autour du continent.

Un océan mouvementé

L'océan Indien est réputé pour la beauté de ses îles et la clarté de ses eaux.

L'océan Indien est le 3e océan du monde par sa taille, mais il est moitié moins grand que le Pacifique. Il est bordé par l'Afrique, l'Asie et l'Australie.

Les moussons

L'océan Indien est soumis aux moussons, des vents qui font changer ses eaux de direction deux fois par an. Entre mars et septembre, ils soufflent de la mer vers la terre, et d'octobre à février, de la terre vers la mer. Ces vents s'inversent au-dessus de l'océan et provoquent d'importantes tempêtes, dangereuses pour les bateaux. On pense que ces phénomènes sont dus à l'opposition entre la masse montagneuse de l'Asie et l'étendue de l'océan.

Des courants capricieux

Dans le nord de l'océan Indien, les courants tournent dans le sens des aiguilles d'une montre en été, et dans le sens inverse en hiver. Au sud, les courants vont toute l'année dans le sens inverse des aiguilles d'une montre. Près des côtes, les courants sont encore plus compliqués.

Un taux de sel qui varie.

Les grands fleuves qui se déversent dans l'océan Indien lui apportent énormément d'eau douce. C'est le cas du Gange, qui draine une partie des neiges fondues de l'Himalaya. En revanche, au nord-ouest de cet océan, une forte évaporation entraîne une salinité très importante.

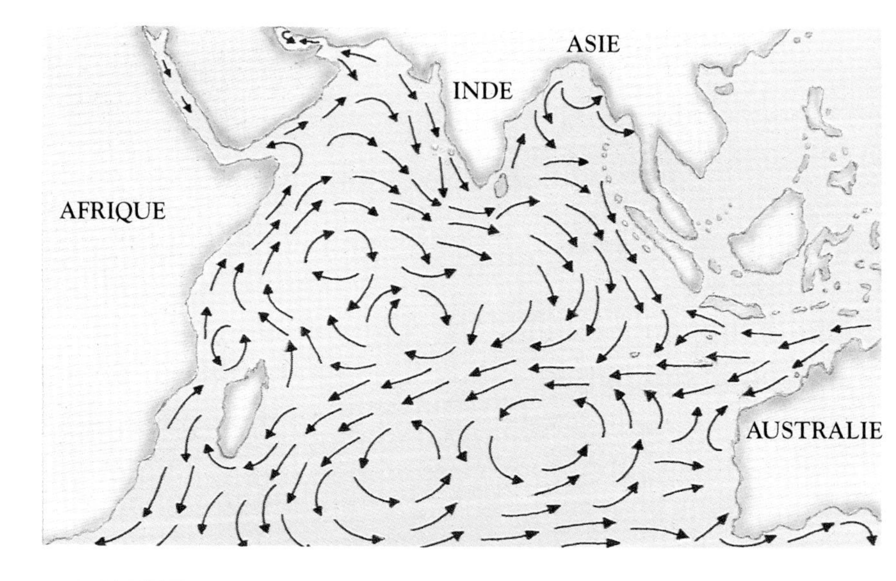

L'océan Indien est caractérisé par des courants qui changent de direction.

Des petits paradis

L'atoll de Bora-Bora, en Polynésie, est encore jeune : la montagne volcanique, au centre, n'a pas totalement disparu sous l'eau.

L'océan Indien est parsemé d'îles coralliennes plus belles les unes que les autres : Maldives, Comores, Seychelles... Ce sont des paysages paradisiaques où le corail est roi.

La naissance d'un atoll

Les îles coralliennes sont très nombreuses dans le Pacifique et dans le centre de l'océan Indien. Elles sont constituées par des coraux qui se sont installés sur les pentes d'anciens volcans sous-marins. Au fil du temps, ces montagnes s'affaissent et s'enfoncent peu à peu dans la mer. Le corail, lui, continue de se développer et crée un anneau de récifs, appelé atoll, autour de l'ancienne montagne. L'atoll entoure un lagon, une étendue d'eau calme et peu profonde reliée à l'océan par des passages. L'eau y est claire et limpide.

Un archipel de plus d'un millier d'îles

Parmi les plus belles îles coralliennes figurent les Maldives, situées au sud-ouest du Sri Lanka, sur une chaîne de volcans éteints. Le sommet qui émerge de la surface est colonisé par des coraux qui, petit à petit, ont formé près d'un millier d'îles, dont seules 200 sont habitées. Certaines sont si petites que l'on peut en faire le tour à pied en 20 mn.

Pauvres et en danger

Sur ces atolls magnifiques, impossible de cultiver quoi que ce soit à cause du sol trop pauvre. Heureusement, les récifs attirent les poissons, ce qui permet de vivre de la pêche, mais les coraux, de plus en plus recherchés, disparaissent peu à peu.

Un futur océan ?

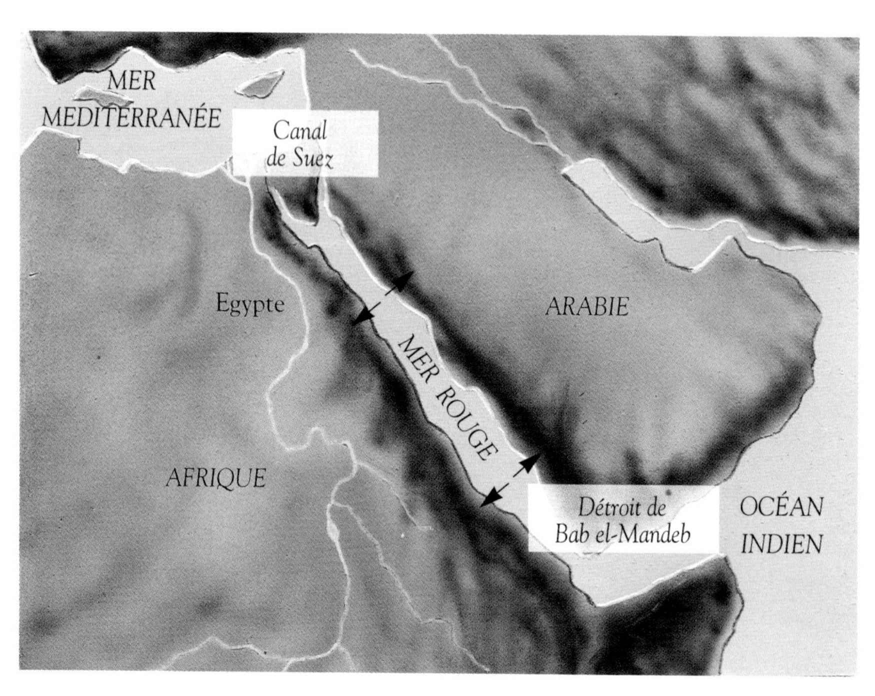

Un nouvel océan ?

La mer Rouge, qui sépare l'Arabie de l'Afrique, ne cesse de s'élargir et l'Arabie s'éloigne peu à peu de l'Egypte au rythme de 2 cm par an. Cet élargissement est dû à des remontées de magma et au jeu des plaques terrestres à cet endroit. Si ce phénomène se poursuit, dans 200 millions d'années, la mer Rouge sera aussi vaste que l'océan Atlantique !

Sources chaudes et salées

La mer Rouge, bordée de terres arides, reçoit peu d'eau douce. Cette mer est particulièrement salée. Dans les fosses jaillissent d'étonnantes sources chaudes. La température peut y atteindre 62 °C ! Leur salinité est très importante.

On appelle la mer Rouge ainsi à cause de certaines algues rougeâtres qui flottent, par endroits, à sa surface et lui donnent des taches rosées. Elle est surtout réputée pour ses fonds magnifiques qui attirent les plongeurs.

Une immense baignoire

La mer Rouge est un bassin presque fermé. Elle n'est reliée à la Méditerranée que par l'étroit canal de Suez (55 m de large) et à l'océan Indien que par le détroit de Bab el-Mandeb. C'est aussi une mer particulièrement chaude : entre mai et septembre, la température de la surface peut atteindre 30 °C.

Les anguilles jardinières vivent dans la mer Rouge, enfoncées dans le sable ; lorsqu'elles sortent, elles nagent la tête en bas.

Des eaux capricieuses

Les maisons de pêcheurs des côtes iraniennes de la mer Caspienne ne sont plus très utilisées de nos jours.

La mer Caspienne est située à la limite de l'Europe et de l'Asie, bordée par la Russie à l'ouest et l'Iran au sud.

La mer Caspienne étant complètement fermée, elle représente le plus grand lac du monde. Elle est aussi grande que l'Allemagne ! Sa salinité provient des dépôts de roches qui couvrent ses fonds.

Un niveau qui descend...

Le niveau de cette mer a commencé à baisser à la fin du XIXe siècle. L'évaporation intense de l'eau, due à un climat aride, notamment au nord et à l'est, a entraîné des variations considérables du niveau de la mer. Entre 1930 et 1970, le niveau a baissé de 3 m, provoquant la disparition de nombreuses baies.
Des îles sont apparues, se sont agrandies ou se sont rattachées aux rivages.

... et qui monte.

Depuis 1978, à la grande surprise de tous, le niveau de la Caspienne ne cesse de monter ! Il augmente en moyenne de 13 cm par an. Plusieurs villes et villages sont aujourd'hui sous l'eau. On suppose qu'en l'an 2000, si la remontée des eaux continue, des villes comme Kaspiysk, en Russie, seront noyées. Ces variations seraient dues aux changements climatiques. Entre 1978 et 1993, les pluies ainsi que les rivières et les fleuves qui se déversent dans la mer Caspienne auraient apporté, par rapport aux années précédentes, des milliards de mètres cubes d'eau supplémentaires. Aujourd'hui, les scientifiques s'interrogent toujours sur l'avenir de cette mer capricieuse.

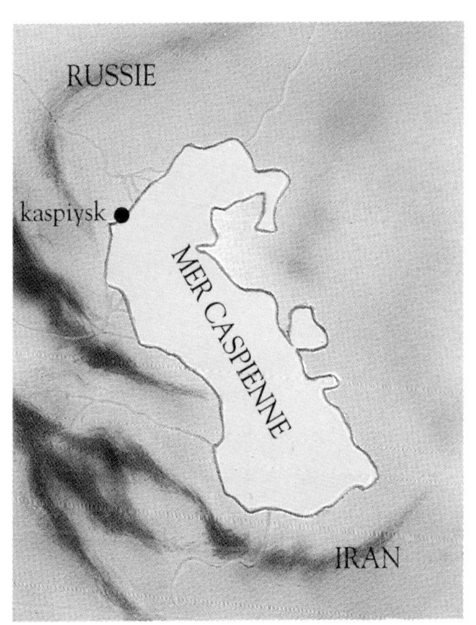

Petite et salée

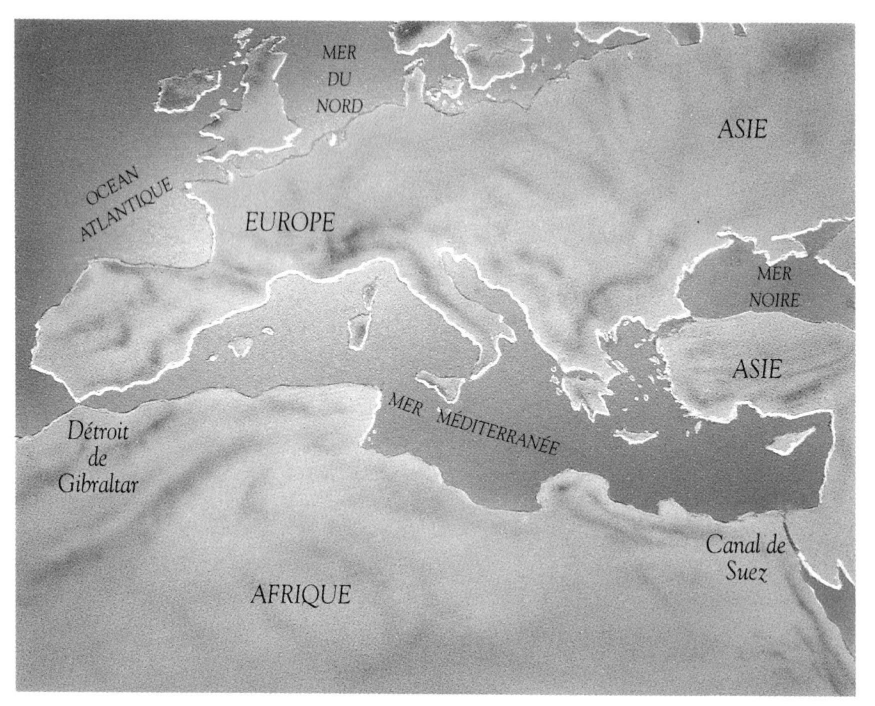

La Méditerranée est une mer fermée. A cause de sa forme, elle n'a presque pas de marées. La température de l'eau ne descend pas au-dessous de 13°C, même en profondeur, et elle est trés salée.

Un canyon asséché

Il y a 6 millions d'années, par un jeu de mouvement des plaques, le détroit de Gibraltar se ferme complètement. Coupée des eaux de l'Atlantique, la Méditerranée s'assèche peu à peu, comme sa voisine la mer Noire. Le peu d'eau que les fleuves lui apportaient s'évapore aussitôt. Mille ans plus tard, la Méditerranée n'est plus qu'un canyon occupé par des lacs. Cet assèchement dure un million d'années.

Une immense cascade

Il y a 5 millions d'années, les continents continuent de bouger. L'Afrique recule et le détroit de Gibraltar s'ouvre de nouveau, entraînant un véritable déluge. Telle une gigantesque cascade, les eaux de l'Atlantique se déversent dans le bassin. Par jour, l'équivalent de ce que transporteraient 80 fleuves comme l'Amazone s'écoule. Il a fallu environ un siècle pour remplir ce grand bassin.

Attention fragile !

Cette mer est menacée par la pollution due au tourisme et à l'industrie. Dans l'avenir, avec le glissement des plaques, le détroit de Gibraltar risque de se refermer.
La Méditerranée ne serait plus qu'un grand bassin vide.

La Méditerranée est bordée de nombreux sites archéologiques.

Des mers peu accueillantes

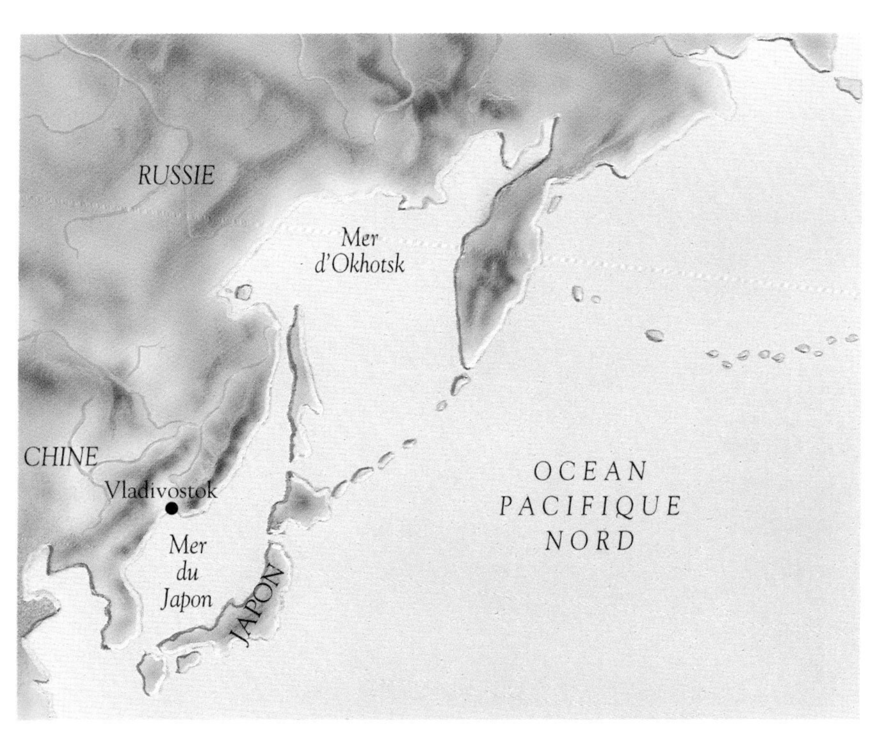

A l'ouest du Pacifique Nord, il existe des mers qui sont prises par les glaces environ la moitié de l'année.

La mer d'Okhotsk

Cette mer de l'océan Pacifique est bordée par la Sibérie. En hiver, sa température en surface se situe entre -2 °C et 2 °C. Les deux tiers de sa surface sont pris par les glaces 7 mois de l'année ! L'embouchure du fleuve Amour est encombrée de glaçons qui, par endroits, peuvent rester jusqu'en août.

La mer du Japon : glace en hiver, typhons en été

Cette mer est presque fermée. Elle communique avec l'océan par des passages étroits et peu profonds et connaît à la fois des températures de type tropical et polaire. En hiver, le nord de la mer, balayé par les vents, est pris par les glaces 4 à 5 mois par an, de décembre à avril. Mais, l'été, le sud est parfois traversé par des typhons surprenants. La température peut dépasser 20 °C. Cette mer reçoit aussi l'humidité de la mousson, qui souffle du sud. Cet air tiède provoque des brouillards qui plongent dans la brume la ville de Vladivostok à peine libérée des glaces.

Très poissonneuses

Les courants froids favorisent la vie animale ; de nombreuses espèces fréquentent ces mers. La pêche y est très prospère : pêche à la baleine, au saumon, mais aussi au hareng, à la morue et aux crustacés.

Certains peuples vivant le long de la mer d'Okhotsk font sécher le saumon qu'ils mangeront en hiver.

Condamnées par l'hon

Dans le monde, il existe des mers où la vie est quasiment impossible. C'est le cas de la mer d'Aral, qui disparaît peu à peu, et de la mer Morte, bien trop salée pour que des animaux y vivent.

Une mer à l'agonie

Au début des années 60, la mer d'Aral, un grand lac salé au sud de l'ex-URSS, s'étendait sur une superficie qui représentait 2 fois la Belgique. Aujourd'hui, elle est en train de devenir un vaste désert.

Où est passée son eau ?

A la fin des années 50, dans la région de la mer d'Aral, on décide de cultiver du coton. Cette plante a besoin de beaucoup d'eau, que les hommes se mettent à pomper dans la mer d'Aral. Cette mer, qui recevait chaque année des millions de mètres cubes d'eau grâce aux deux principaux fleuves qui s'y jetaient, n'en reçoit plus, car ils ont été détournés pour assurer l'irrigation des champs de coton. Son niveau a baissé de 14 m et sa superficie a diminué de 40 %.
Il ne subsiste plus désormais que d'immenses flaques par endroits. On a évalué qu'à ce rythme elle aurait totalement disparu en 2010.

Une chaîne de désastres

Cette baisse des eaux a multiplié par trois la salinité de la mer. Autrefois, on pêchait 45 000 tonnes de poissons ; aujourd'hui, il n'y en a plus ; les loutres et les oiseaux marins ont également disparu. Il ne reste plus qu'une espèce de crevette et de raie mutante inconsommable.
Les pêcheurs ne pêchent plus et les bateaux gisent sur les fonds sableux à plusieurs kilomètres du rivage. Le climat

ne et par la nature

et aident à cicatriser toutes les plaies.

Toujours en évolution

Mais la mer Morte n'a pas toujours été aussi salée. A la suite d'importantes pluies, il y a 21 000 ans, son niveau passe de 200 à 500 m de profondeur et son eau s'adoucit. Aujourd'hui, la mer devient de plus en plus salée et avec l'évaporation importante dans cette région ensoleillée, on pense que, dans moins de 10 000 ans, elle pourrait devenir un grand bassin asséché couvert de sel.

est aussi devenu plus aride depuis que la mer s'assèche.

Un grand lac salé

La mer Morte est une petite mer fermée, non loin de la Méditerranée et de la mer Rouge. Elle ressemble plutôt à un grand lac salé. Elle est née de l'accumulation des eaux du fleuve Jourdain, de pluies et de divers ruissellements. Cette mer est la plus salée du monde (presque 9 fois plus que les océans !).
Elle est tellement salée qu'il est impossible d'y plonger, mais on peut y flotter tout en s'endormant sans crainte. Dans cette mer, on peut voir des sortes de champignons de sel que les hommes exploitent. Il s'agit des cristaux de sel agglutinés en couches ou sur les roches. En 1943, la mer, sans doute beaucoup trop salée, s'est même mise à blanchir ! Aucun poisson ne peut y vivre et très peu d'algues arrivent à y subsister, c'est pourquoi on l'appelle la mer Morte.

Des eaux bienfaisantes

Elle est réputée depuis l'Antiquité pour son eau et la boue de ses fonds, qui peuvent guérir certaines maladies de peau

La mer Morte est née il y a un peu plus de 3 millions d'années.

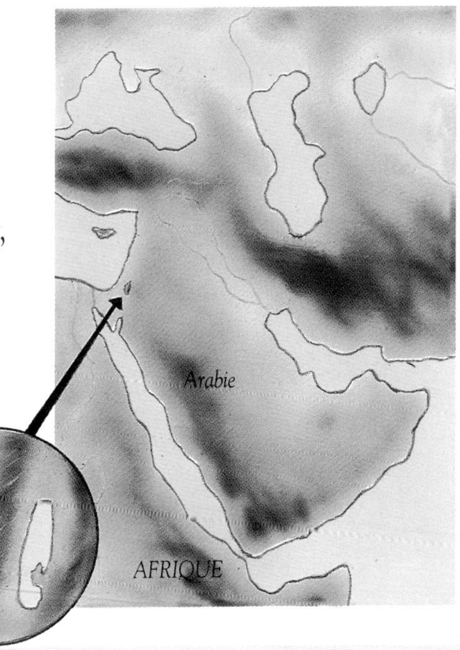

L'extraordinaire

L'apparition de la vie est encore très mystérieuse, mais de nombreux spécialistes pensent que les volcans ont joué un grand rôle.

Il y a 4 milliards d'années, régnait sur terre une terrible chaleur. L'atmosphère sans oxygène était irrespirable. Dans ces conditions, comment la vie pouvait-elle apparaître ? La Terre contenait tous les éléments nécessaires, il suffisait simplement que les conditions soient favorables pour les réunir. Ainsi, les premières traces de vie sont apparues lorsque la température terrestre descendit en dessous de 50°C. Beaucoup d'hypothèses différentes ont été faites, et il reste une certitude : l'eau est à l'origine de la vie.

A la base, il y a la cellule

Comme les briques sont la base d'une maison, les cellules représentent l'unité de base de la vie. Ce sont les plus petites unités vivantes de notre planète. Tous les êtres vivants sont composés de cellules. Certains, comme les microbes, n'en ont qu'une ; d'autres, comme les hommes, en comptent des milliards. Pendant 3 milliards d'années, les êtres vivants de la planète n'eurent qu'une seule cellule. Les tout premiers furent les bactéries et les algues bleues microscopiques.

Mais comment sont apparues les cellules ?

Au début, on a pensé que des décharges électriques seraient tombées sous forme de foudre sur les océans et auraient favorisé la création de différentes molécules dans une gigantesque "soupe". C'est dans cette soupe des océans, appelée soupe

Des algues bleues vues au microscope.

magie de la vie

primitive, que parmi les nombreuses molécules, naissent les premières cellules. Aujourd'hui, les spécialistes ne croient plus en cette hypothèse.

Différents avis

Pendant des siècles on a cru que les êtres vivants naissaient spontanément dans la nature, poussaient dans les plantes, sur les arbres... Aujourd'hui, beaucoup de scientifiques pensent que la vie serait apparue près des volcans et des geysers. Là, les hautes températures auraient favorisé certaines réactions biochimiques produisant la nourriture nécessaire au développement des cellules. Mais a-t-on déjà vu un être vivant survivre à plus de 100°C ? Pour d'autres savants encore, la richesse en soufre des sources chaudes sous-marines près des volcans aurait aidé à l'apparition de la vie. En effet, on trouve encore aujourd'hui, près de ces cheminées, des bactéries primitives. Ce sont là les deux hypothèses les plus sérieuses. Depuis 50 ans, des scientifiques en ont imaginé bien d'autres. Et peut-être la vie est-elle apparue de plusieurs façons à la fois ? C'est le secret de la nature !

Qu'est-ce que la photosynthèse ?

Fabriquant leur propre nourriture à partir des sels minéraux, du gaz carbonique, de l'eau et grâce à l'énergie du soleil, les cellules furent à l'origine de la formation de l'oxygène qu'elles rejetaient dans l'atmosphère.
Ce phénomène appelé photosynthèse a permis et permet encore à toute la planète de respirer et à la vie de se développer. Les plantes, par exemple, utilisent la photosynthèse pour pousser et nous procurer de l'oxygène.

Reproduction d'une cellule par division.

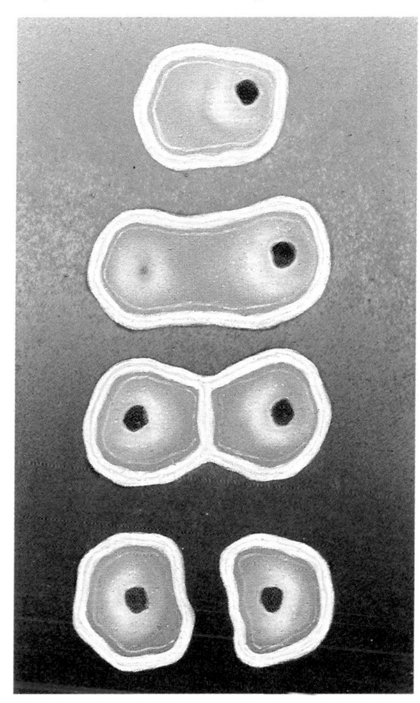

Les premiers ha

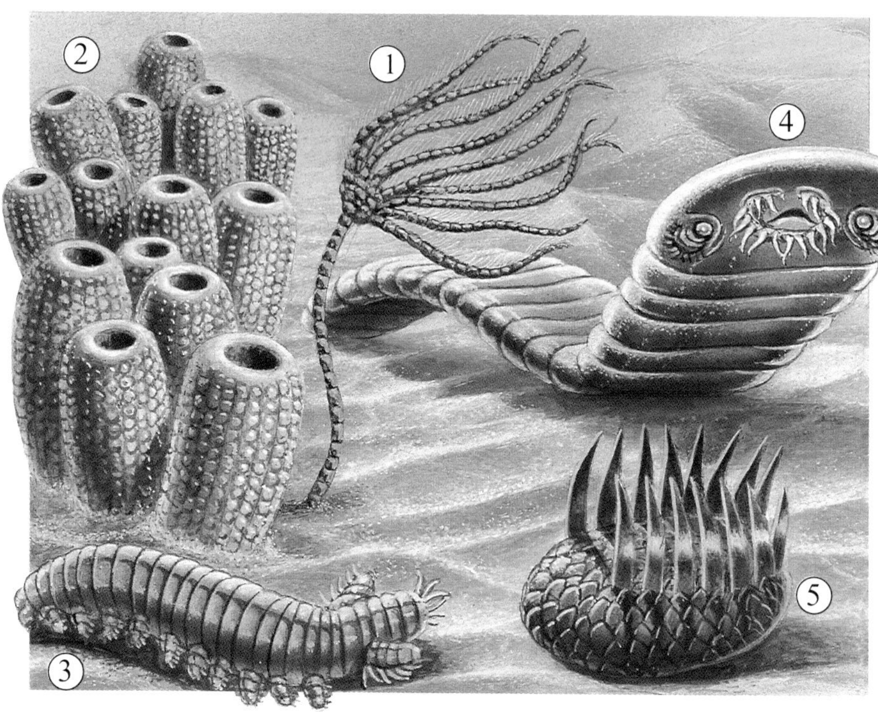

Nous avons vu que les premiers êtres vivants ne sont apparus que depuis 3,5 milliards d'années, des milliers de siècles après la formation de la planète. Mais, à quoi ressemblaient-ils ?

Une seule cellule

Les premiers êtres vivants étaient composés d'une seule cellule. Très simples et microscopiques, invisibles à l'œil nu, ils vivaient à la surface de l'eau. Les stromatolites de la baie de Shark, en Australie, témoignent actuellement des premières traces de vie. Ces pierres calcaires, ont été formées par l'accumulation de couches de boue et de minuscules algues bleues unies à des bactéries. Elles datent d'au moins 3,5 milliards d'années.

Des êtres à corps mou

Durant des millions et des millions d'années, la vie n'a pas évolué. Puis des êtres plus gros et plus compliqués, composés de plusieurs cellules, sont apparus. Ainsi, il y a 650 millions d'années, sont apparus des êtres à corps mous comme les méduses et les vers. La plupart de ces espèces fréquentaient les fonds, creusant la vase pour se nourrir.

Des êtres à corps dur

Il y a 550 millions d'années, la vie a encore évolué. Les créatures se munissent de coquilles ou de squelettes. A proximité des nombreux lis de mer (1) et des éponges (2) vivaient d'étranges bêtes à pattes et à épines. L'Aysheaia (3) était une chenille épineuse qui escaladait les éponges pour se nourrir. L'Odontogriphus (4), lui, était tout plat et segmenté, sa bouche était entourée de tentacules. Quant à l'étrange

Stromatolites

ɔitants des mers

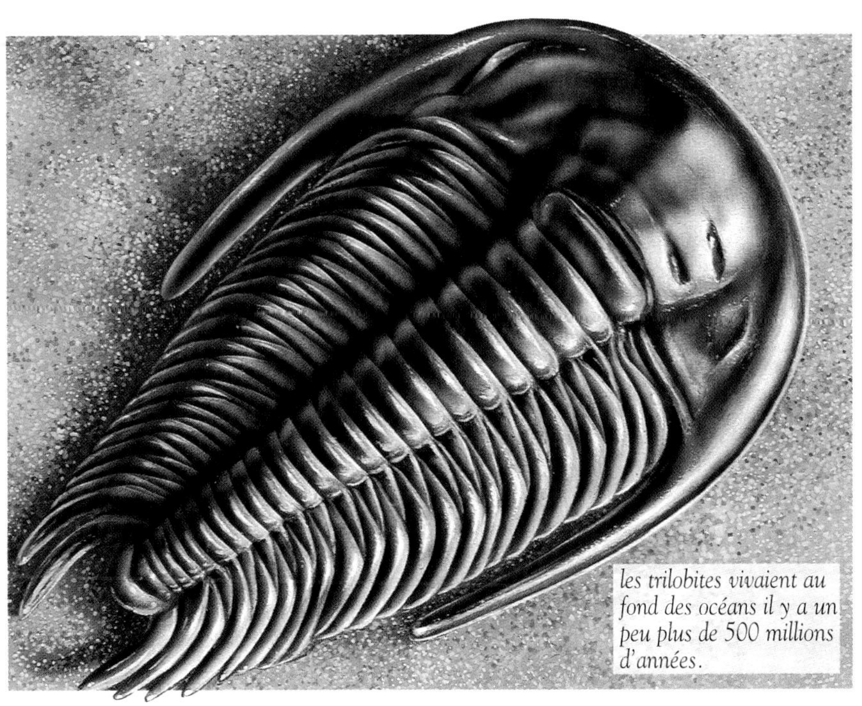

les trilobites vivaient au fond des océans il y a un peu plus de 500 millions d'années.

Wiwaxia (5), il ressemblait à un caillou hérissé d'aiguilles longues de 2 à 5 cm et son dos était recouvert de plaques dures.

L'ère des trilobites

Les trilobites sont les ancêtres des crabes et homards actuels. Leur corps, de 4 mm à 67 cm, était revêtu d'un véritable bouclier divisé en trois parties. Ils nageaient très rapidement à l'aide de leurs nombreuses pattes. Ils étaient aussi les premiers êtres vivants à avoir des yeux ! Ces yeux à multiples facettes, semblables à ceux des mouches, leur permettaient de voir de tous côtés en même temps, de repérer leurs proies et leurs ennemis. Ils se nourrissaient des petites particules de vase ou d'animaux plus petits qu'eux. Capables de s'enrouler sur eux-mêmes en cas de danger, ils échappaient à leurs prédateurs.

Les ammonites

Elles apparaissent il y a 400 millions d'années.

Les spécialistes ont compté plus de 10 000 espèces d'ammonites différentes.

La plupart ne dépassent pas 10 cm de diamètre, mais on en a trouvé en Allemagne atteignant 1,70 m.
Elles étaient protégées par une coquille semblable à celle des escargots et nageaient à l'aide de leurs tentacules comme leurs descendants les pieuvres et les calmars.
Peu à peu elles ont envahit toutes les mers du globe.
Si l'on peut aujourd'hui savoir à quoi ressemblaient ces premiers animaux, c'est grâce aux empreintes qu'ils ont laissées dans la roche : leurs fossiles.
C'est dans les dépôts de vase ou de sable que l'on a pu retrouver ces traces du passé.

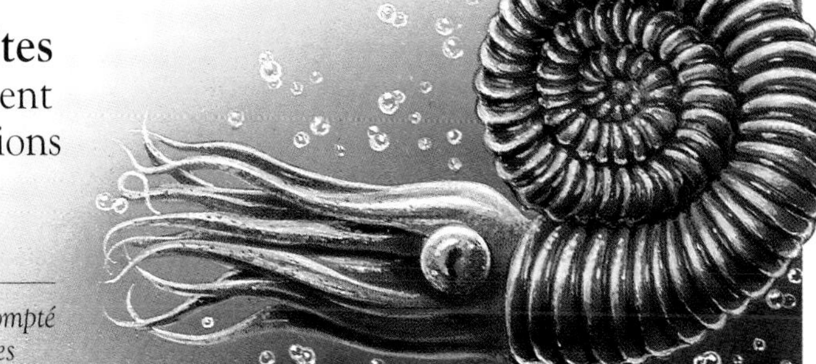

Ils sont nés il y a

L'effrayant Dunkleosteus faisait partie des poissons cuirassés qui parcouraient les mers.

Les premiers poissons sont apparus il y a 500 millions d'années. Ils représentent les premiers vertébrés. Ce sont des animaux simples, sans même de mâchoires pour certains, qui partent à la conquête des océans.

Sans mâchoires

Ces premiers poissons vertébrés sont aussi appelés des "bouches rondes". Parmi ces très anciennes espèces figuraient les agnathes. A la place de la bouche, une ouverture arrondie leur suffisait pour se nourrir puisqu'ils gobaient des proies minuscules et aspiraient dans la vase des déchets organiques. L'une des descendantes actuelles des agnathes est la lamproie, qui se sert de sa bouche ronde comme d'une ventouse et pompe le sang des autres poissons.

Les agnathes, premiers poissons vertébrés, se caractérisaient par un corps mou et une bouche sans mâchoire.

Des dents et une cuirasse

Il y a 450 millions d'années, apparaissent les poissons à mâchoires. Dès lors, ils peuvent se nourrir de proies plus grosses et de mollusques. C'est le temps du Dunkleosteus, redoutable chasseur de 9 m de long, à la tête et aux mâchoires impressionnantes.

Le corps de ces poissons est recouvert d'une véritable cuirasse de plaques osseuses qui leur fait craindre peu d'ennemis. D'autant que leurs dents ont de quoi effrayer : elles sont parfois hautes de 50 cm,

des millions d'années

elles retiennent les proies, les coupent et surtout ne les lâchent pas.

Respirer de l'air

Il y a 400 millions d'années, sont nés des poissons osseux dont les nageoires très épaisses se transformeront bien plus tard en pattes pour certains. Parmi eux, quelques-uns développent des poumons qui leur permettent ainsi de respirer à l'air comme sous l'eau ! A cette époque, apparaissent aussi les premiers requins, ils possèdent déjà leur fameux aileron sur le dos, qui a parfois une forme étonnantes, comme celui du Stetacanthus, requin de 40 cm, qui est doté d'une nageoire en forme d'enclume !

Le plus vieux poisson de la planète, le cœlacanthe, ne nage pas vite, car il est assez lourd. Il vit entre 100 et 800 m de profondeur.

Le Stetacanthus faisait partie des premiers requins. Son étrange nageoire sur le dos lui servait peut-être à impressionner ses ennemis ou à séduire les femelles.

Un incroyable survivant le coelacanthe

Le seul rescapé de ces temps anciens est le célèbre coelacanthe : le plus vieux poisson du monde encore présent dans nos océans. Il a été retrouvé par hasard, en 1938, au large de Madagascar, alors qu'on le croyait éteint depuis des millions d'années. Il pèse entre 60 et 100 kg pour une taille de 1,80 m. Il ressemble à un gros mérou et ses nageoires font penser à des membres faits pour la marche.

Des monstres

Il y a 400 millions d'années, des bouleversements géologiques obligent les premiers poissons à sortir de l'eau. Là où les mers se retirent, les pattes viennent remplacer les nageoires. Pour soutenir le poids de leur corps dans l'air, ces animaux ont alors besoin d'une colonne vertébrale et de membres solides.

De la mer à la terre

Parmi les premiers poissons à quitter l'eau, on connaît le tulerpeton, dont on a retrouvé un fossile de 360 millions d'années près de Moscou. Il était long de 50 cm, avec une queue assez courte. Des écailles tapissaient son ventre et ses pattes, mais son crâne était lisse. A la même période, l'ichtyostega met aussi pied à terre. Il ressemble à une salamandre avec une tête de poisson. Ces animaux, qui conquièrent la terre ferme dépendent encore de l'eau, notamment pour pondre leurs œufs.

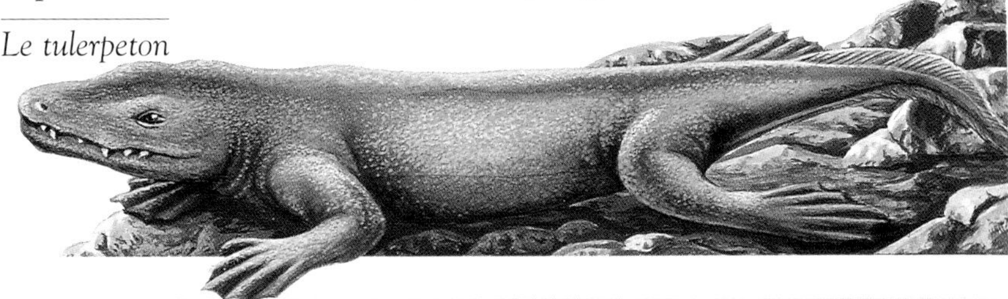

Le tulerpeton

Retourner à l'eau

Il y a 250 millions d'années environ, alors que de nombreuses espèces disparaissent, certaines décident de retourner à l'eau. En pleine période des dinosaures, quelques reptiles regagnent les océans. Parmi eux, les ichtyosaures (ci-contre) commencent à fréquenter la haute mer. L'évolution de leur ancêtre terrestre, l'ichtyostega, qui a su transformer ses pattes en nageoires, reste un mystère. Les ichtyosaures ressemblent à nos dauphins et filent dans l'eau jusqu'à 40 km/h. Leurs grands yeux sont bien adaptés à la vision sous l'eau.

Géants des mers chaudes

Le climat de la Terre est généralement plus chaud qu'aujourd'hui. Les pôles Nord et Sud ne sont pas gelés.

marins disparus

L'élasmosaure était très impressionnant, il pouvait atteindre 15 m de long !

Les espèces tropicales peuplent donc la majeure partie des mers. Mais peu à peu, il y a environ 220 millions d'années, de nombreuses espèces disparaissent. Certains ichtyosaures restent cependant très nombreux. Les plus longs mesurent 12 mètres. Ils côtoient les plésiosaures, des lézards marins au long cou. Ces derniers nagent, comme les manchots, à l'aide de leurs quatre ailerons qui leur permettent aussi de marcher sur terre. Pour pêcher, il leur suffit de plonger la tête dans les bancs de poissons.

Les ichtyosaures, les plésiosaures et les crocodiles ont commencé à se raréfier il y a presque 150 millions d'années. Parmi les plésiosaures apparaissent les élasmosaures, des monstres de près de 15 m, les plus grands reptiles marins des mers chaudes. Leur cou, sinueux et très long, est une véritable canne à pêche. Ils se déplacent grâce à leurs nageoires semblables à des pagaies.

Des monstres aux tortues

Le kronosaurus d'Australie mesurait plus de 17 m et était aussi long que la baleine à bosse actuelle. Sa tête ressemblait à celle d'un crocodile et atteignait presque 3 m ! C'est à la même époque qu'apparaissent les premières tortues, dont certaines mesurent 4 m de long !

Toujours vivants ?

Aucun de ces monstres ne supporte le refroidissement du climat qui a lieu il y a environ 70 millions d'années. Seuls les tortues et les crocodiles ont survécu jusqu'à nos jours. Mais l'homme aime faire vivre ces créatures dans des légendes. Quelques rescapés hanteraient encore le lac écossais du loch Ness ...

Une nourriture microscopique

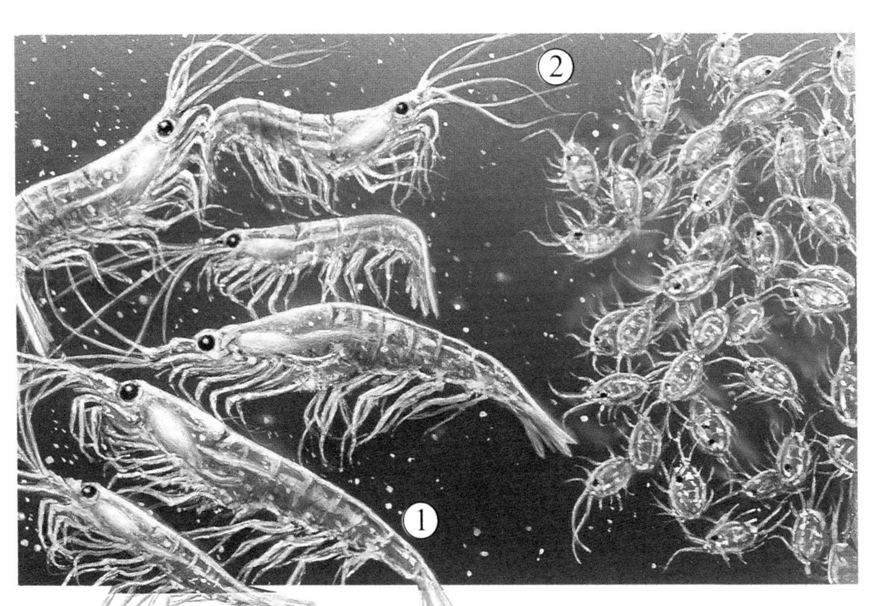

Le plancton est l'ensemble des végétaux et animaux souvent microscopiques en suspension dans l'eau. Le plancton comprend le phytoplancton, constitué de végétaux, et le zooplancton, composé d'animaux.

Le phytoplancton

Il est formé de plantes microscopiques, comme les diatomées. Elles sont capables de fabriquer leur propre nourriture grâce à de l'eau, du gaz carbonique et de la lumière solaire. Ces plantes représentent la nourriture des animaux et du zooplancton.

Le zooplancton

Il est principalement composé de petits crustacés, de minuscules méduses, de vers et de larves d'animaux. Certains animaux ne sont zooplancton qu'une partie de leur vie, lorsqu'ils sont sous forme d'œufs ou de larves, comme les crabes. D'autres appartiennent au plancton toute leur existence. Presque tous sont herbivores et se nourrissent de phytoplancton. Ils seront à leur tour mangés par des animaux plus gros. Parmi les petits crustacés qui forment le zooplancton, les plus nombreux sont les copépodes (2). Mesurants de 1 mm à 1 cm, ils forment de gigantesques bancs qui peuvent atteindre 100 km de long. Le krill (1), lui aussi composante du zooplancton, est constitué de petits crustacés transparents mesurant environ 5 cm de long. C'est la principale nourriture des baleines.

Toujours en mouvement

Le plancton se déplace constamment. Fuyant la lumière trop forte et la chaleur des eaux de surface, le plancton descend vers le fond durant la journée, puis remonte la nuit. Les espèces planctoniques ont la vie courte : de quelques semaines pour certaines à quelques jours pour d'autres.

Une diatomée vue au microscope.

Qui mange qui ?

Tous les êtres vivants d'un milieu, animaux et plantes, dépendent étroitement les uns des autres. Chacun a besoin de l'autre pour vivre.

Chaque jour, une crevette mange environ 130 000 diatomées, un hareng avale 6 000 à 7 000 crevettes et petits crustacés, et une baleine à bosse, 5 000 harengs. De son côté, le thon mange des maquereaux, qui se nourrissent d'anchois, qui mangent à leur tour de petits crustacés et du plancton... Ces ensembles forment des chaînes alimentaires et des circuits de nourriture qui relient les espèces entre elles. Le phytoplancton, dont se nourrit le zooplancton, constitue le premier maillon.

Les chaînes alimentaires peuvent être longues et comprendre plusieurs espèces, mais elles peuvent aussi être très courtes, par exemple lorsque la baleine mange directement le krill, plancton animal.

En fin de chaîne, les végétaux et animaux morts se décomposent au fond des océans. Là, ils seront mangés par des espèces qui se nourrissent de déchets ou seront transformés et réutilisés par les végétaux.
Ainsi continue le cycle.

Les puissantes

Les baleines appartiennent à la famille des cétacés, ces mammifères marins très bien adaptés à la vie aquatique, dont les ancêtres étaient certainement terrestres.

Manger et filtrer

On distingue deux grandes familles de cétacés : les odontocètes, qui possèdent des dents, et les mysticètes, qui possèdent des fanons. Les odontocètes, comme le dauphin, le cachalot et l'orque se nourrissent de poissons, de calmars et de seiches. Les mysticètes, comme les baleines franches et les baleines bleues, n'ont pas de dents mais des fanons : ce sont des lamelles de corne qui forment une sorte de grande passoire : l'eau entre dans la bouche et est expulsée à travers les fanons qui retiennent la nourriture, tels le krill et les petits poissons.

Le plus gros animal du monde

Parmi les cétacés se trouve le plus gros animal du monde : le rorqual bleu ou baleine bleue. Il mesure jusqu'à 30 m de long et pèse 170 tonnes, soit l'équivalent de 33 éléphants réunis ! Il engloutit plus de 4 tonnes de krill chaque jour, soit 4 millions de crevettes !

De grandes voyageuses

Les baleines migrent. Certaines, comme les baleines grises, parcourent, du pôle Nord au Mexique, plus de 20 000 km par an à environ 20 km/h. Pour trouver leur chemin, elles s'orientent par petits groupes, comme guidées

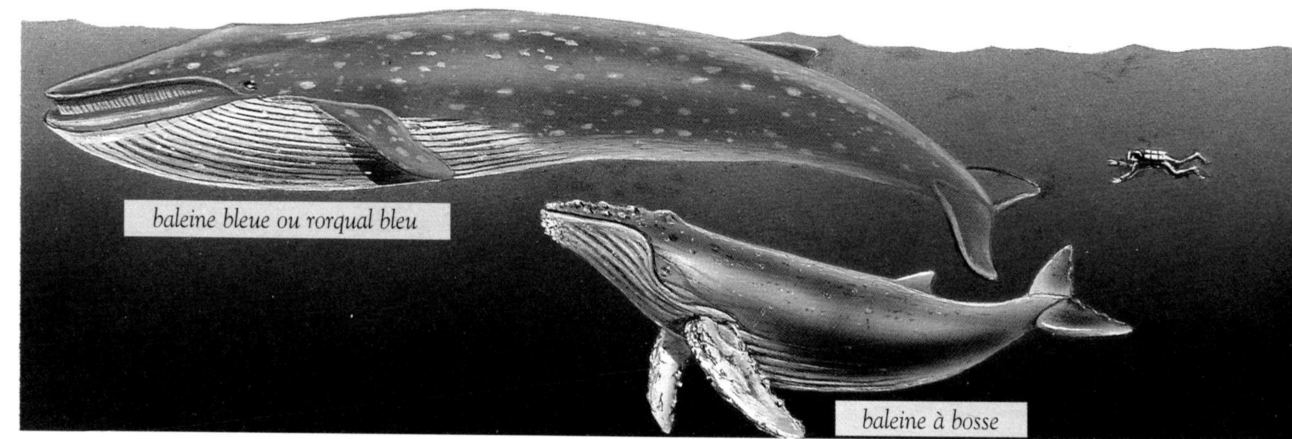

baleine bleue ou rorqual bleu

baleine à bosse

reines des océans

Il arrive que la baleine fasse d'extraordinaires sauts hors de l'eau, mais personne ne sait exactement pour quelle raison.

par une boussole mystérieuse. Mais il arrive que cette boussole interne se dérègle, et c'est le naufrage ! Malgré leur énorme poids (de 50 à 100 tonnes environ), les baleines sont très souples et comme tous les cétacés, elles glissent facilement dans l'eau. viennent respirer à la surface. Elles expulsent l'air impur, humide et chaud de leurs poumons par leur évent, cette narine qu'elles ont sur le dessus de la tête. Cela produit un véritable geyser. Celui du rorqual peut atteindre 8 m de haut.

Un bébé de 7 tonnes !

Selon les espèces, 12 à 16 mois après la saison des amours, naît un baleineau. Le petit de la baleine bleue pèse alors 7 tonnes et peut prendre 4 kg par heure pendant les 7 premiers mois ! Vers 6 mois, il mesure déjà 13 m de long ! La baleine protège son petit et joue avec lui, lui apprenant à se défendre. Entre 5 et 10 ans, il deviendra adulte.

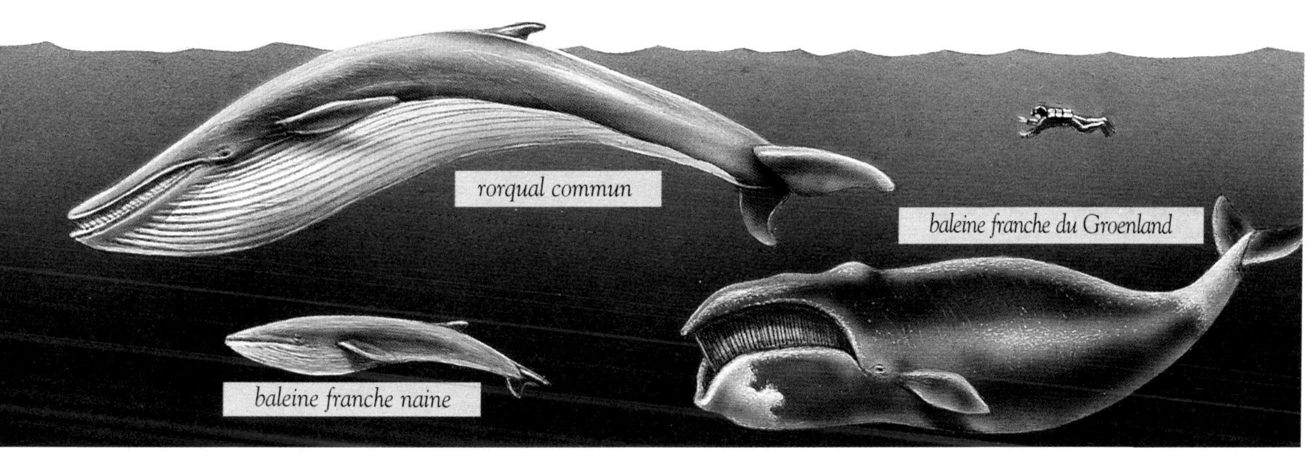

Des carnivores

Les cétacés qui possèdent des dents sont des odontocètes. Cachalot, orque, narval appartiennent à cette famille de mammifères marins. Chassés, touchés par la pollution, ces animaux sont pour la plupart menacés.

L'énorme cachalot

Le cachalot est le plus gros des cétacés à dents. Les mâles atteignent 18 m de long et pèsent jusqu'à 40 tonnes.

Les femelles sont plus petites. Le cachalot a une tête énorme et très lourde qui mesure environ un tiers de sa longueur totale. Seule sa mâchoire inférieure est munie de dents. Ce monstre se nourrit de calmars et de seiches. Le cachalot n'a pas beaucoup d'ennemis. Si une orque ou un requin s'approchent, il peut les blesser ou même les tuer en leur donnant un coup fatal avec sa puissante queue. Le cachalot a longtemps été pourchassé pour son blanc de baleine, un liquide huileux situé sous la peau de son crâne et qui était utilisé pour la fabrication des bougies et des produits de beauté.

Capable de plonger presque à pic à plus de 2000 m, le cachalot peut rester sous l'eau plus d'une heure.

impressionnants

La corne du narval

Pendant des siècles, les marins ont chassé le narval pour ramener sa défense afin de faire croire à l'existence de la licorne (le légendaire cheval cornu). On prétendait que cette corne avait certains pouvoirs. C'est en fait une dent en spirale que porte le narval mâle, mais on ne sait pas à quoi elle lui sert. Peut-être à trouer la glace pour respirer dans les mers arctiques où il vit, ou bien à chasser les calmars. Mais alors pourquoi la femelle n'en a-t-elle pas ?

L'orque, une féroce

L'orque, aussi appelée épaulard, peut atteindre plus de 9 m et peser jusqu'à 8 tonnes.

On la reconnaît à sa tête arrondie et à sa peau noire tachée de blanc. Les orques sont présentes dans toutes les mers du globe, elles vivent en groupes. Elles attaquent les jeunes morses, phoques et éléphants de mer. Elles n'hésitent pas à sortir de l'eau pour attraper leur proie sur la plage. Des proies comme les baleines ne leur font pas peur.

Le bélouga est un siffleur.

Ce dauphin blanc (son deuxième nom) mesure entre 4 et 5 m, pèse plus d'une tonne et vit surtout dans l'océan Arctique. Les bélougas émettent des sons très forts, qui s'entendent à la surface, certains ressemblent aux clics du dauphin, et d'autres aux gazouillis des oiseaux.

A la naissance, les petits bélougas sont bleu-gris. Vers 5 ans, ils deviennent jaunes. Ce n'est que plus tard qu'ils prennent une belle couleur blanche.

Les acrobates

Les dauphins sont des mammifères présents dans tous les océans. Ils ont la réputation d'être intelligents et de rechercher la compagnie de l'homme.

Les dauphins sont d'excellents nageurs.

Leur vitesse peut atteindre 50 km/h. Parfois ils profitent des vagues créées par le passage d'un bateau pour avancer plus vite et faire moins d'efforts.
Les dauphins ont au-dessus du crâne une narine, appelée évent, par laquelle ils soufflent l'air contenu dans leurs poumons. Leurs yeux leur permettent de voir aussi bien hors de l'eau que dans l'eau.
L'épaisse couche de lard située sous leur peau les protège du froid et de la chaleur.
Elle constitue également une réserve de nourriture et d'énergie. Enfin, leur peau est d'une douceur exceptionnelle.

Les petits coussins de graisse qui recouvrent le sommet du crâne des dauphins leur donnent cet air toujours souriant.

Ils "voient" avec les sons.

Les dauphins sont équipés d'une sorte de radar naturel, un sonar qui leur permet de détecter proies, obstacles ou dangers. Cette boussole interne les aide aussi à se diriger. Mais parfois, sans raison, cette boussole se

des mers

Les marsouins, cousins des dauphins, n'ont pas de bec. Ce sont de bons nageurs, ils vivent en groupes de 2 ou 4 dans les eaux tempérées et froides. Ils fréquentent les côtes et remontent parfois très loin les fleuves.

dérègle et les dauphins viennent s'échouer sur les rivages. Les dauphins utilisent aussi leurs petites oreilles, mais c'est par leur mâchoire inférieure qu'ils captent les bruits qui sont ensuite transmis au cerveau par le système nerveux.

Une vie sociale organisée

Les plus petits troupeaux comptent 6 à 20 dauphins. Les plus grands dépassent parfois un millier d'individus. Le chef du groupe, le plus âgé, guide le troupeau, aidé de mâles qu'il envoie en "éclaireurs". Les dauphins s'entraident les uns les autres et accourent dès que l'un des leurs est en difficulté.
Ils échappent souvent aux orques qui les encerclent, et ils peuvent attaquer un requin menaçant.

Une naissance préparée

La femelle porte son petit durant 10 à 16 mois selon les espèces. Elle s'isole du groupe, accompagnée par une femelle plus âgée appelée marraine qui va l'aider à accoucher et qui gardera son petit lorsqu'elle sera à la chasse.
Le bébé naît la queue la première. Il faudra entre 5 et 15 ans au petit dauphin pour devenir adulte.

Bavards et joueurs

Joueurs, les dauphins ne se lassent pas de faire des pirouettes !
Ils communiquent entre eux par de nombreux sifflements, cliquettements, grincements et sauts. Chaque dauphin a sa propre voix. Chaque groupe a son propre langage.

Les dauphins, dont la taille du cerveau est importante, ont une mémoire et des qualités d'adaptation et d'imitation étonnantes.

Les redoutable

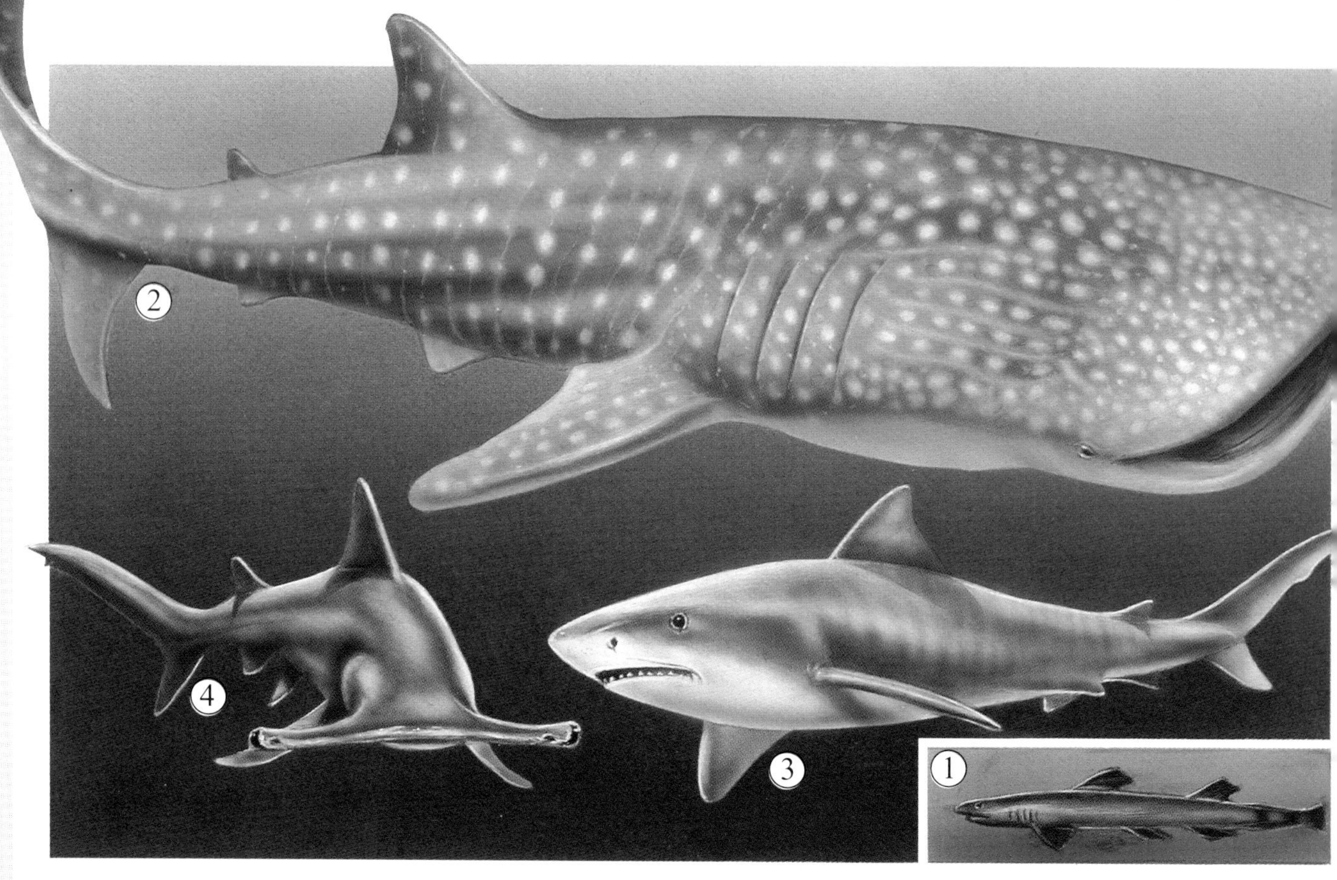

On compte 350 espèces de requins. Le plus petit, le requin-chat pygmée (1), mesure environ 24 cm de long ; le plus grand, le requin-baleine (2), peut atteindre 18 m et peser plus de 10 tonnes, mais ce n'est pas le plus méchant : il se nourrit uniquement de plancton, de sardines et de crustacés.

Les requins nagent en ondulant. Leur aileron sur le dos, visible hors de l'eau, et leurs nageoires sur le ventre les stabilisent et les guident. Leur museau, en général allongé, leur permet de prendre de rapides virages. Leur foie contient une huile qui varie selon les espèces, et les aide à flotter. Celui du requin-tigre (3) peut contenir jusqu'à 80 litres d'huile ! Leur peau est recouverte de milliers d'écailles minuscules qui râpent terriblement et se renouvellent régulièrement (comme leurs dents).

Des sens exceptionnels

Selon certains chercheurs, les requins ont sous le nez de

Pour broyer, déchirer ou retenir leurs proies, les requins ont différentes formes de dents.

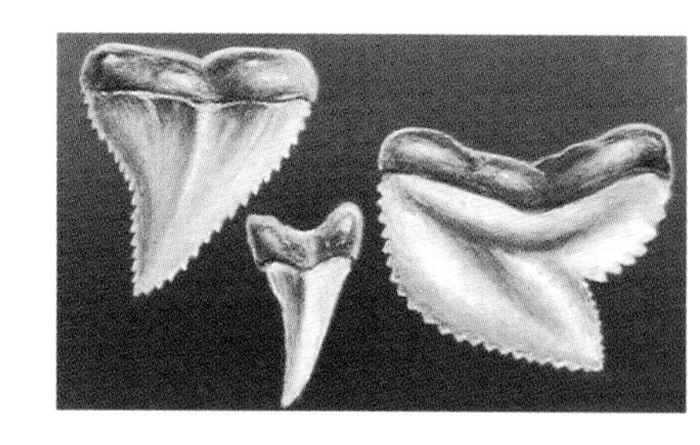

dents de la mer

Le requin-citron ne pond pas. La femelle met au monde 4 à 17 petits qui se sont développés dans son ventre.

Des naissances diverses

Selon les espèces, les requins naissent différemment. Certaines femelles pondent leurs œufs dans l'eau : ce sont des ovipares. Chaque œuf est enfermé dans une sorte de capsule verte accrochée à des algues sous-marines. La capsule éclate au bout de quelques mois, laissant apparaître le petit requin. Chez les ovovivipares, les œufs éclosent dans le ventre même de la mère où les petits se développent et sont ensuite expulsés. Pour les requins vivipares, les petits se développent directement à l'intérieur de la mère, qui met bas ensuite.

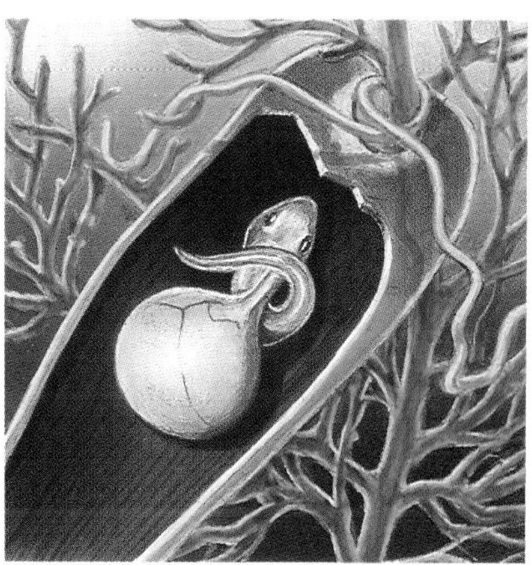

Coupe de la capsule dans laquelle se développent les petits des requins ovipares.

petites ampoules qui leur permettent de recueillir de nombreuses informations (variations de température, salinité, pression...) et de s'orienter. Ils ont en plus une vision presque parfaite dans l'obscurité. Les requins entendraient aussi des sons que l'homme ne peut percevoir. Leur odorat, très développé, fait de certains de terribles chasseurs. L'odeur du sang les excite et les attire. Si l'un d'entre eux est blessé, il est dévoré par ses camarades.

De vrais gloutons

Tous n'ont pas le même menu. Le requin-marteau (4) avale raies, tortues, otaries et même mouettes. Le petit du squale bleu, qui ne mesure que 50 cm, n'a pas peur d'arracher des morceaux de chair à plus gros que lui, baleine ou thon. Les requins avalent même des objets, boîtes en fer, pièces de bateau, trouvés au fond de la mer. Seules 35 espèces de requins, sont dangereuses pour l'homme !

Des nageoires qui

La maman phoque allaite son petit avec un lait tellement chargé en graisse qu'il ressemble à de la mayonnaise ! Ce lait va permettre au bébé phoque de lutter contre le froid.

Les phoques, les morses, les otaries et les éléphants de mer passent une grande partie de leur temps dans l'eau. Ils reviennent sur la terre ferme pour se reproduire et se reposer.

Le phoque rampe et flotte.

Les phoques vivent surtout dans les mers froides et tempérées. A l'aide de leurs vibrisses (des moustaches), ils repèrent poissons, calmars et crustacés. A terre, ils se déplacent en s'appuyant sur leur ventre et en rampant. Dans l'eau, ils se servent de leurs nageoires. Leur épaisse couche de graisse les protège du froid et joue aussi le rôle de chambre à air. Grâce à elle, le phoque peut flotter durant son sommeil.

L'otarie

Sur le sol, l'otarie ne rampe pas, elle se sert de ses quatre membres pour marcher. En mer, elle est très agile et bondit à plaisir hors de l'eau.

servent de pattes

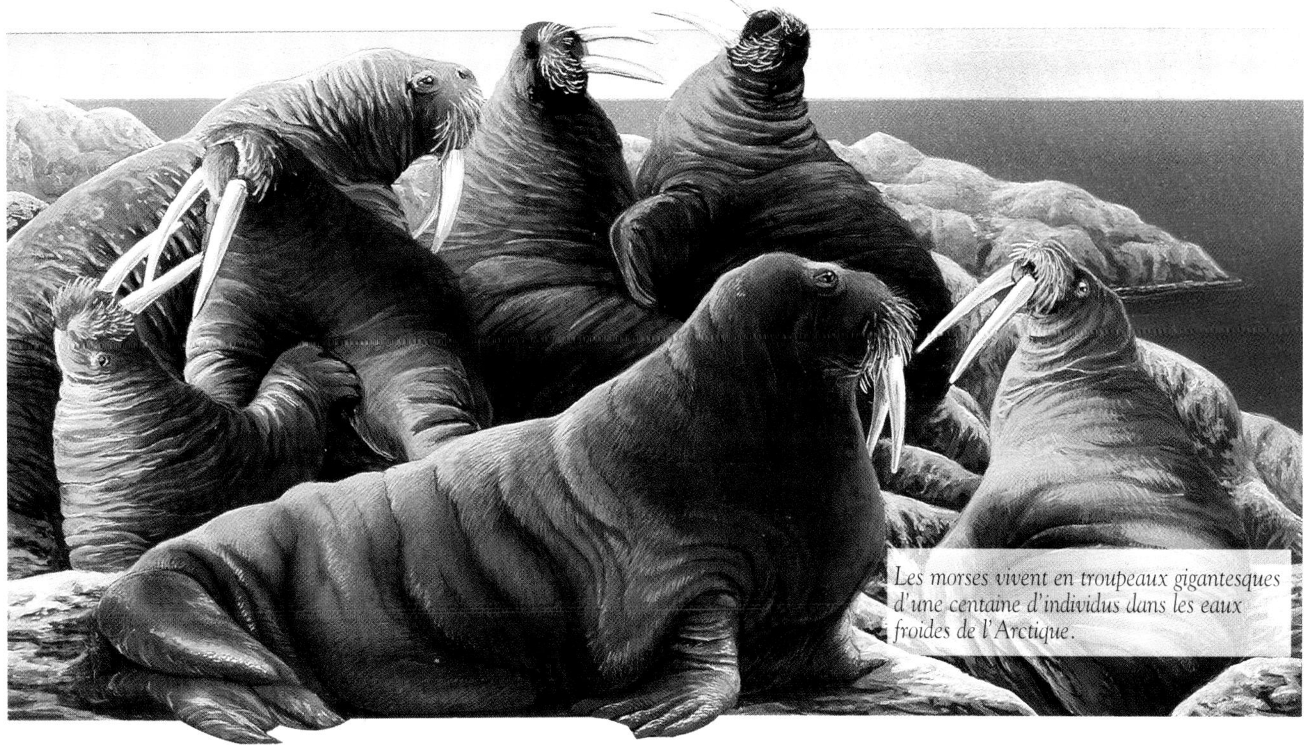

Les morses vivent en troupeaux gigantesques d'une centaine d'individus dans les eaux froides de l'Arctique.

Des défenses bien utiles

Les défenses des morses, de 60 cm à 1 m de long, sont des armes redoutables.
Elles leur servent à extraire de la vase des mollusques et des crustacés et même parfois à tuer de petits phoques.
Ce sont aussi d'excellents crampons pour se hisser sur la glace et des outils efficaces pour percer des trous afin de respirer lorsque les morses sont sous la banquise.
Leurs ennemis redoutés sont l'ours blanc, l'orque et l'homme, qui les chasse pour leurs défenses d'ivoire.

Gros mais rapides

Les morses ont une épaisse couche de graisse qui maintient leur température.
Le mâle peut atteindre 1 200 kg et la femelle 850 kg durant les mois les plus froids.
Malgré leur poids, certains morses peuvent se déplacer sur la glace plus vite qu'un homme.

Les éléphants de mer

Le nez des mâles, en forme de trompe, leur a valu ce nom.
Pendant la période des amours, les mâles, qui pèsent entre 3 et 4 tonnes, se livrent à de sanglants combats pour la possession des femelles. Pour intimider leurs adversaires, les éléphants de mer mâles gonflent leur trompe, qui peut atteindre 60 cm, et se redressent en rugissant.

La vie sous

Bien souvent, il fait moins froid dans l'eau qu'à l'air. Le phoque de Weddell peut parfois rester immergé plus d'une heure avant de remonter pour respirer grâce à des trous qu'il a lui-même creusés dans la glace.

Comment les mers glacées et régulièrement balayées par des vents de 300 km/h peuvent-elles accueillir des animaux ? Environ 80 % des espèces qui vivent dans l'Antarctique ne vivent nulle part ailleurs.

Des espèces adaptées

Poissons, oiseaux et mammifères marins se sont adaptés aux conditions très hostiles (en Sibérie orientale, la température peut descendre à -68 °C !). Si le climat se réchauffait, même de quelques degrés, une grande partie de la faune polaire disparaîtrait. Les animaux à sang froid sont adaptés afin que leur sang ne gèle pas. Pour les animaux à sang chaud, il s'agit de garder leur chaleur intérieure, ce qui n'est pas facile lorsque l'eau dans laquelle ils nagent est au-dessous de 0 °C.
Aux pôles, l'hiver est long et la nuit dure plusieurs mois avant de laisser place au jour en été. Les animaux qui y vivent n'ont donc pas de rythme de chasse et de sommeil comme dans les autres régions du globe.

A chacun sa méthode

Pour s'adapter au principal obstacle, le froid, chacun a développé sa propre méthode. Les manchots, nous l'avons vu (p. 99), se serrent les uns contre les autres et rentrent la tête dans leur cou afin de lutter contre le vent glacial. Les morses engloutissent jusqu'à 45 kg de nourriture par jour pour mettre en réserve les calories nécessaires. Les phoques se protègent grâce à leur épaisse couche de graisse et, lorsqu'ils sont sous la banquise, ils doivent remonter pour respirer. Ils creusent alors des trous dans la glace grâce à leurs dents et à leurs griffes afin d'accéder à l'air libre. Mais attention, à la sortie, souvent, dans le Nord, des ours blancs les attendent pour en faire leur repas !
Tous les phoques à fourrure du pôle Sud ont aussi un épais manteau qui est fait d'une couche de poils courts complétée par une couche de poils plus longs et durs par-

les eaux glacées

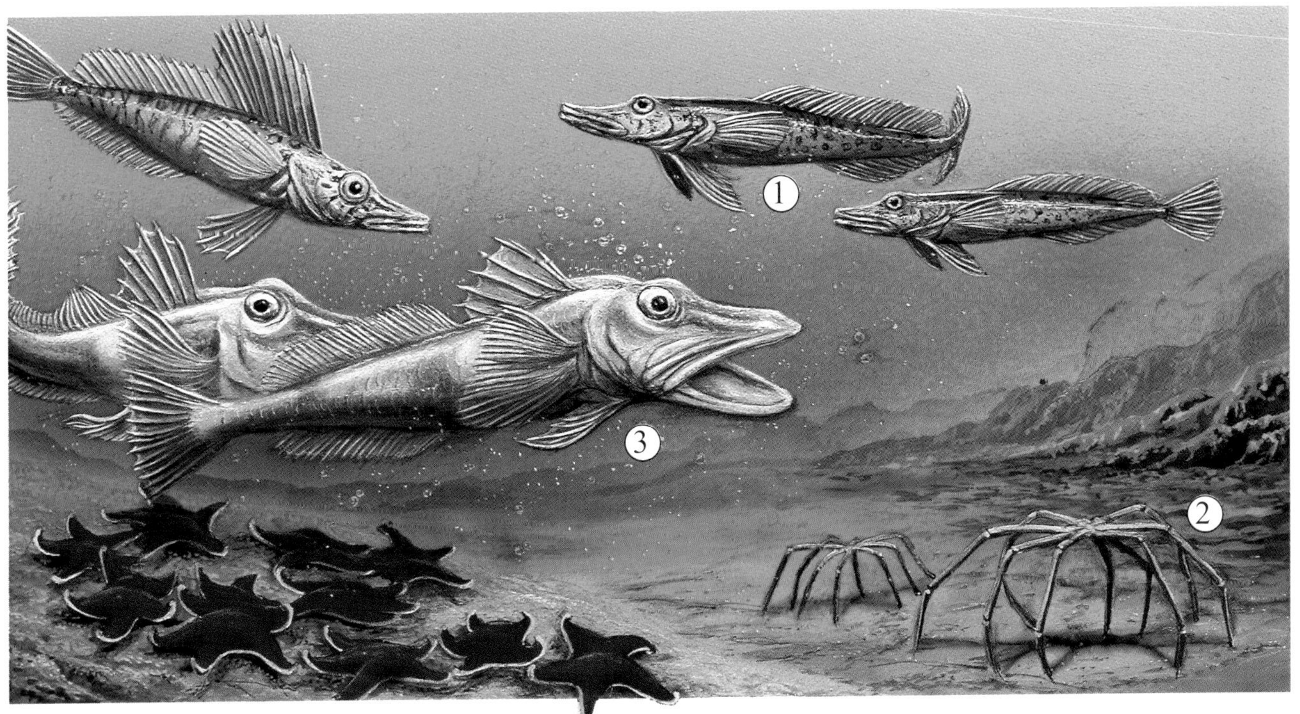

dessus, ce qui constitue pour eux une très bonne protection. A la période la plus rigoureuse, certains oiseaux de mer décident de migrer dans les régions plus chaudes.

Sous les eaux de l'Antarctique

Différentes espèces de poissons vivent dans les eaux de ces régions. Ils ont une étrange allure. Les poissons-dragons (1), au corps et à la tête allongés, nagent dans les profondeurs ou près des côtes. Certains d'entre eux ont de grandes canines ! C'est aussi la seule espèce de poissons antarctiques qui a une nageoire unique sur le dos. Pour supporter les grands froids, rien de tel qu'un ventre bien plein ! Ces espèces résistent au climat en avalant du krill et des centaines de petits poissons. On rencontre aussi des méduses, des étoiles de mer et des sortes d'araignées appelées pycnogonides (2) qui se sont bien adaptées aux conditions de vie difficiles. Au printemps, dans ces eaux froides des pôles, les petits crustacés qui forment le krill grouillent par milliers à la surface, qui prend alors une teinte rosée.

Des poissons antigel !

Autrefois, dans l'Antarctique, les chasseurs de baleines qui sillonnaient l'océan racontaient qu'ils voyaient des poissons sans écailles et dépourvus de sang ! Il s'agissait des poissons des glaces (3). Le sang de ces poissons est en fait incolore. Ces poissons comptent environ une quinzaine d'espèces différentes, et comme les autres poissons vivant dans l'océan austral, leur organisme est équipé d'un antigel qui leur permet de supporter des températures inférieures à 0 °C.

Plantes ou animaux ?

Les coraux, qui forment de magnifiques jardins aux couleurs chatoyantes, ne sont pas des plantes, mais des animaux.
Ils se développent dans les eaux tropicales chaudes et limpides, où la température ne descend pas en dessous de 20° C.

Les coraux attirent de nombreux pêcheurs.

Comment vivent-ils ?

Les coraux sont formés de milliers de petits animaux : les polypes. Ils possèdent une bouche de laquelle partent plusieurs tentacules empoisonnés, qui leur servent à capturer leur nourriture.
A l'intérieur des polypes habitent des algues microscopiques. Celles-ci font le ménage en absorbant les déchets des coraux et les aident à se développer en leur fournissant des substances organiques. En échange, le corail abrite ces algues, qui, sans le gaz carbonique qu'il rejette, ne pourraient pas vivre. Une fois par an, les polypes laissent échapper des milliards de petites billes. Ce sont des cellules mâles et femelles qui vont s'unir dans l'eau pour former un œuf d'où sortira une larve qui se fixera et commencera aussitôt à sécréter du calcaire.

Des millions de maisons

Chaque polype fabrique son abri de calcaire. Ces millions de constructions, agglutinées les unes aux autres, finissent par former un récif corallien.
Il existe des coraux mous qui n'ont pas de squelette calcaire et des coraux en forme d'arbustes aplatis, très découpés, appelés gorgones, qui ont un squelette constitué d'une matière ressemblant à de la corne.

Un milieu surpeuplé

Les récifs coralliens sont riches en cachettes, grottes et fissures. Ils constituent un abri idéal pour une étonnante variété d'animaux marins.

Entre 3 000 et 4 000 espèces sur un récif

Chaque centimètre carré d'un récif est occupé : poissons minuscules, requins, coquillages, crustacés, hippocampes, éponges, murènes (1), raies... et des milliers d'autres animaux fréquentent cet espace surpeuplé. Les habitants les plus nombreux sont certainement les poissons aux couleurs variées et superbes, comme les poissons-clowns (2). Les plus petits se promènent par milliers, en rangs serrés, ondulant de façon à dérouter les prédateurs. Mais attention aux barracudas ! Avec leurs redoutables mâchoires, ces grands poissons circulent en bancs, avalant tout sur leur passage. Le poisson-papillon (3) est un véritable aspirateur pour les récifs : il nettoie les coraux grâce à son museau pointu, en aspirant les minuscules animaux.

Une oasis

Le récif peut être comparé à une oasis au milieu du désert. Il fournit une abondante nourriture à toutes les espèces qui le visitent. Très riche en plancton, il attire les plus petits animaux, qui sont à leur tour mangés par les plus gros.

Les ennemis des coraux

Certains poissons les arrachent avec leurs dents, d'autres broient leur squelette et les étoiles de mer les dévorent, mais leurs pires ennemis sont les tornades, qui les déracinent.

Les poissons des récifs, comme la rascasse volante, se cachent pour tromper l'ennemi ou attaquer.

Changer de peau

Les crustacés ont tous cinq paires de pattes. Leurs antennes, recouvertes de poils, leur servent à détecter des proies, à tâter le sol et à évaluer la température de l'eau. Certains crustacés nagent, d'autres marchent ou font les deux à la fois. On les trouve du littoral jusqu'aux grands fonds.

Une nouvelle carapace

Quand sa carapace devient trop petite, le crustacé la remplace par une plus grande : il mue. Il se gonfle d'eau, son armure se casse peu à peu, suffisamment pour que l'animal s'en dégage. A ce moment, le crustacé est fragile, car sa nouvelle carapace est encore molle : elle durcira en quelques jours. Parfois, il lui arrive de manger l'ancienne protection. La première année de leur vie, les crustacés muent une dizaine de fois, puis seulement une ou deux fois par an ensuite.

Le homard, un solitaire

Le homard est souvent seul. Il aime particulièrement se dissimuler dans les rochers. Sa carapace bleu-brun le rend

Les crabes sont en général assez solitaires, mais ceux de l'île Clipperton, dans le Pacifique, se déplacent en colonies impressionnantes.

pour survivre

discret. Avec ses deux grosses pinces, il peut impressionner ses adversaires. L'une lui sert à broyer et à casser les coquilles, l'autre à porter la nourriture à sa bouche. Parfois, il lui arrive d'en perdre une lors d'un combat difficile, mais elle repoussera ensuite.

Le bernard-l'ermite cherche une maison.

Comme il n'est pas protégé par une carapace, il s'abrite dans les coquilles vides laissées par des mollusques. Il en change régulièrement au fur et à mesure qu'il grandit, mais il n'est pas toujours facile de trouver une maison vide à sa taille ! Pour en occuper une, il doit parfois se battre. Il intimide d'abord sa victime avec sa pince, puis l'attaque véritablement. Souvent, il vit accompagné de l'anémone. Elle mange ses restes de nourriture et le cache sous ses tentacules. Quand il change d'abri, elle le suit.

Le crabe-violoniste

Le crabe-violoniste mâle a une façon très particulière de faire la cour à sa dame : il bouge sa grande pince comme s'il jouait du violon et attire ainsi l'attention de sa future fiancée. Lorsqu'il fait nuit, le mâle émet des bruits rythmés avec ses pinces pour se faire reconnaître de sa partenaire. Les femelles ne tardent pas à se laisser séduire.

Des œufs par milliers

Chez les crabes, la femelle pond des milliers d'œufs, parfois jusqu'à 40 000 ! Ces œufs rougeâtres sont fixés à son ventre par des filaments. Les larves font partie du zooplancton. Aussi, seule une larve sur dix deviendra adulte. Les autres serviront de nourriture à divers poissons.

Si un adversaire se montre, le crabe-violoniste n'hésite pas à se servir de sa pince pour le renverser sur le dos !

Un instinct de vie qu

A peine sortis du sable, les bébés tortues se dirigeront vers la mer sans même se tromper.

A travers la mer, des animaux parcourent des distances incroyables, poussés par leur instinct.

Les tortues, grandes navigatrices

Les tortues de l'île de l'Ascension nagent plus de 2 500 km à travers l'Atlantique pour rejoindre leur lieu de ponte. Personne ne sait comment elles s'orientent. On suppose qu'elles se laissent guider par des odeurs qu'elles seules peuvent sentir. Une fois arrivées, elles vont pondre sur la plage, où elles ensablent leurs œufs, puis, leur mission accomplie, elles retournent vers l'océan.

L'anguille, entre fleuve et océan

L'anguille est un poisson d'eau douce qui va pondre en mer. C'est dans l'océan Atlantique, dans la mer des Sargasses, que pondent les anguilles. Les larves sont emportées par les courants vers les côtes européennes. Ce voyage dure 3 ans. Les larves se développent et deviennent des civelles, de petits poissons transparents de 7 cm. Ces jeunes anguilles nagent vers les fleuves, où elles

Les civelles sont de jeunes anguilles.

ɔousse au voyage

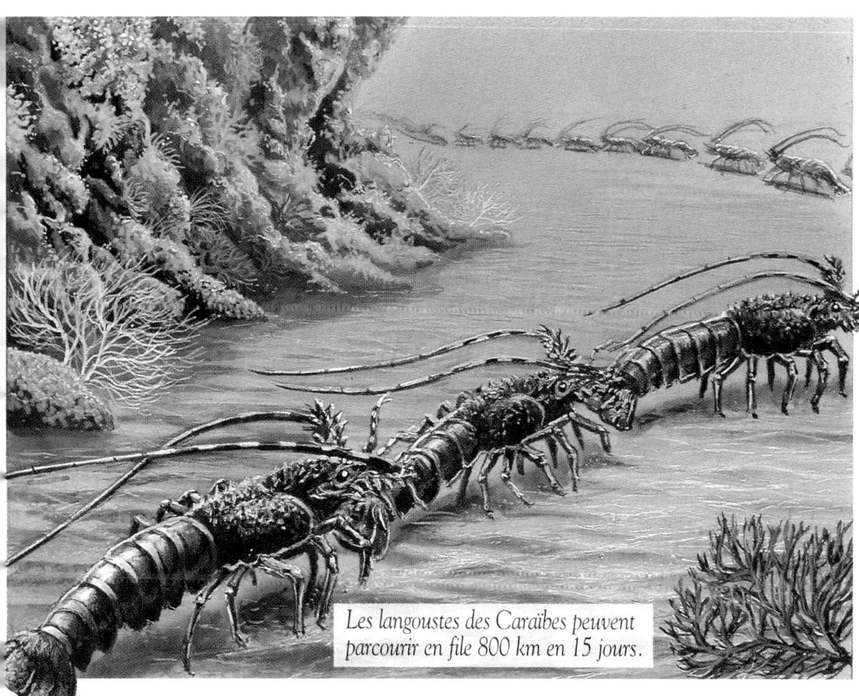

Les langoustes des Caraïbes peuvent parcourir en file 800 km en 15 jours.

grandissent. Quelques années plus tard, comme l'ont fait leurs mères, elles migrent pour se reproduire et parcourent 4 000 km sans se nourrir. Arrivées dans la mer des Sargasses, elles pondent et meurent.

Les langoustes à la queue leu leu

Les langoustes, habituellement solitaires, voyagent quelquefois regroupées les unes derrière les autres en file indienne. Ces défilés comptent parfois un millier de langoustes et peuvent mesurer jusqu'à 4 km de longueur ! Pourquoi voyagent-elles ?
Sans doute pour chercher de la nourriture.
On a remarqué qu'à la suite d'une tempête, quand les mollusques viennent à manquer, les langoustes migrent ensemble vers des zones plus riches en aliments.

Le saumon retrouve son lieu de naissance.

Le saumon naît dans les fleuves, où il vit pendant 2 à 3 ans avant de rejoindre la mer.
En mer, il se développe et parcourt des centaines de kilomètres. Après une ou plusieurs années en mer, il décide de rejoindre le lieu où il est né pour s'y reproduire. Un terrible voyage commence alors pour lui. Il doit nager à contre-courant pour remonter son fleuve natal et bondir pour franchir les obstacles, tout cela sans se nourrir !
C'est épuisé et blessé par les pierres qu'il arrive enfin pour se reproduire et que les œufs sont déposés sur le fond de la rivière. Une fois cette tâche remplie, le saumon meurt en quelques jours. Comme les anguilles, les saumons sont menacés par la pollution des eaux douces.

Le saumon bénéficie d'un excellent odorat qui lui permet de retrouver son ruisseau natal.

Des lumières vivantes

Grâce à leurs organes lumineux, les poissons des abysses peuvent se voir entre eux, attirer leurs proies ou effrayer leurs ennemis.

Dans le noir absolu des grandes profondeurs, des poissons étranges ont réussi à s'adapter : 80 à 90 % d'entre eux émettent de la lumière grâce à des organes luminescents.

Le poisson-pêcheur (1)
possède sur la tête, un filament lumineux qui lui sert de canne à pêche. Il balance cette canne munie d'un appât et attend ses proies.

Le grandgousier (2)
a une mâchoire gigantesque et un estomac extensible afin d'engloutir plusieurs proies pour tenir jusqu'au repas suivant (la nourriture n'est pas très abondante dans les abysses !). Il peut avaler une proie plus grosse que lui.

Le poisson-hachette (3)
a des écailles argentées qui réfléchissent la lumière émise par ses organes lumineux. Il remonte parfois en surface la nuit pour trouver davantage de plancton.

Le poisson-vipère (4)
possède une batterie de 350 petites lumières dans le palais et, sur le ventre, des rangées de lanternes. Ainsi, il attire crevettes et petits poissons, dont il se nourrit.

Le calmar des abysses (5)
émet un jet d'encre blanche fluorescente au lieu de l'encre noire habituelle.

Des créatures étonnantes

Un magnifique panache

Le ver spirographe (ci-dessous) ressemble à une superbe plante. L'animal est logé dans un tube terminé par des sortes de plumes qui sont en réalité des branchies (organes respiratoires). Les branchies plumeuses filtrent l'oxygène et, en remuant l'eau, elles amènent aussi du plancton dans la bouche du ver. Le spirographe est capable de détecter l'ombre d'un poisson qui passe et, dès qu'il se sent en danger, il se rétracte dans son tube, qui peut mesurer 30 cm de haut.

Près des sources chaudes où la température est encore supportable, différentes espèces animales ont su s'adapter et se développer.

Tout blancs

Dans ces zones, il existe des moules et des palourdes géantes de couleur blanche (1) atteignant 30 cm de long ! Les galathées (2) sont des crustacés, blancs eux aussi, qui sont aveugles et se nourrissent de restes d'éléments apportés par les tourbillons des sources.

Des vers géants

Les riftias (3) sont des vers qui peuvent atteindre 3 m de longueur ! Ils forment de véritables buissons près des sources chaudes. Sans bouche ni tube digestif, ils se nourrissent des aliments qui tombent de la surface.

Parasites et toiletteurs

Les labres (1) font partie des meilleurs toiletteurs de la mer; ici, ils s'activent autour d'un mérou venu se faire déparasiter. A côté, des éponges (2) se sont incrustées sur un corail qu'elles sont en train d'envahir.

Les poux des baleines

Les baleines abritent de nombreux parasites, dont les poux de mer, qui ressemblent à de petites crevettes. Ils ancrent leurs pattes dans la peau du cétacé et y creusent des galeries. D'autres parasites, les balanes, sont des coquillages innofensifs en forme de petits cratères. Ils mangent le plancton qui flotte autour du mammifère. Les parasites ne restent pas fixés en permanence. Quand ils se détachent, ils laissent des cicatrices.

Les éponges indésirables

Il arrive que des éponges se fixent sur des coraux : elles s'incrustent, les abîment et finissent par les envahir. L'éponge *clione celata* choisit l'huître pour s'installer. En perçant sa coquille, elle peut apporter des maladies au mollusque.

Des stations de nettoyage

Nombreux sont les poissons habitant le grand large qui viennent vers les côtes et les récifs pour se faire enlever les parasites qu'ils ont sur les écailles. Là, des stations-service sont à leur disposition et des poissons nettoyeurs les attendent. Pour montrer qu'ils désirent se faire toiletter, les clients remuent les nageoires et parfois même changent de couleur. Certains se font aussi nettoyer la bouche et curer les dents. Ils ouvrent une large gueule afin que le toiletteur s'y glisse sans crainte, pour faire son travail. Ces déparasitages sont indispensables à la survie des espèces infestées. Les labres sont parmi les spécialistes du toilettage.

Les nombreuses callosités visibles sur la tête de cette baleine franche sont des zones de peau rugueuse infestées de balanes et de poux de baleine.

Un cheval marin

L'hippocampe est aussi appelé cheval de mer à cause de sa ressemblance avec l'animal terrestre du même nom.

Nombreux sur les côtes européennes et d'Afrique du Nord, les hippocampes vivent sur les fonds sablonneux, entre 8 et 45 m de profondeur. On les rencontre souvent dans les prairies sous-marines, leur queue fixée aux algues.

Une créature étonnante

Le corps de l'hippocampe est recouvert de plaques osseuses divisées en anneaux dont le nombre varie selon les espèces. Sa nageoire dorsale ressemble à une aile. Il aspire sa nourriture, plancton et crustacés, à l'aide de son long museau en forme de tube. Ses yeux mobiles repèrent facilement les proies.

L'hippocampe est aussi bon nageur. Quand il nage, il peut avancer en position verticale, vers le haut, le bas ou en spirale.

Un père porteur

Chez les hippocampes, c'est le mâle qui porte les petits ! La femelle dépose entre 300 et 500 œufs dans la poche de son partenaire. Ces œufs se développent entre juin et juillet. Les petits naissent entre août et septembre et deviennent adultes un an plus tard. La plupart des hippocampes meurent juste après avoir pondu. Ils ne peuvent, en général, pondre qu'une seule fois.

L'hippocampe feuillu d'Australie est un malin, il ressemble à une algue. Vert ou rougeâtre, son corps se divise en une multitude de branches qui trompe n'importe quel crustacé.

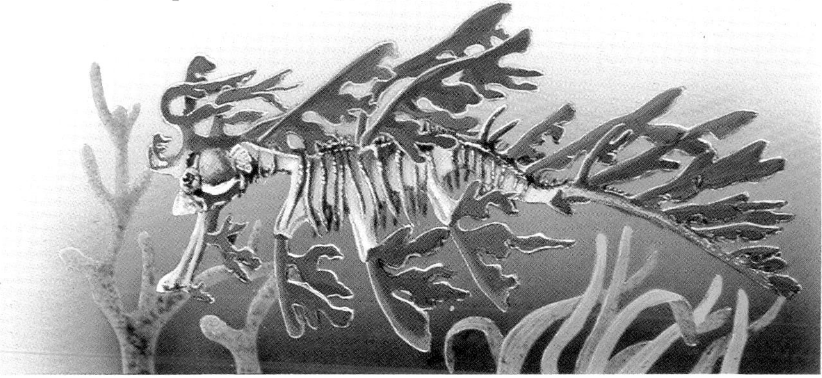

Un dragon au soleil

Ces dragons de plus d'un mètre de long, la tête recouverte de plaques cornées, adorent se prélasser au soleil.

L'iguane marin est un animal unique que l'on ne rencontre que sur les îles Galapagos. C'est aussi le seul lézard adapté à la vie aquatique.

Plonger pour manger

L'iguane trouve en mer toute sa nourriture et ne plonge que pour manger, principalement des algues rouges et croquantes accrochées aux rochers. Lorsqu'il est sous l'eau, il ne perd pas une minute et ne cesse de dévorer. Ce n'est pas un excellent nageur, mais il peut plonger jusqu'à 20 m. Il ondule avec sa queue recouverte d'écailles. Grâce à la réserve d'oxygène contenue dans ses tissus, il peut rester une heure sous l'eau.

Arrêt du cœur

L'iguane est un des seuls animaux à pouvoir arrêter volontairement son cœur pendant 3 mn sans risquer sa vie, mais on ne sait pas exactement dans quel but.

Lézarder au soleil

Comme une statue de pierre, l'iguane peut rester des heures au soleil à se prélasser, sans bouger, sans même regarder ce qui se passe autour de lui. Ainsi que tous les lézards, il a de gros besoins en chaleur.

Un grand jaloux

A la saison des amours, le mâle se bat contre ses rivaux (ci-dessous) pour conquérir les femelles, qui s'affrontent elles-mêmes pour défendre leur nid. Les mâles protègent leur territoire. Gare à ceux qui tentent d'y pénétrer : le mâle hérisse ses écailles, se soulève sur ses pattes, et fonce tête levée.

Spécialiste de la planche

La loutre de mer vit en groupes d'une vingtaine d'individus dans le Pacifique. Son corps fin et ses pattes palmées font d'elle une excellente nageuse, mais ce qu'elle préfère, c'est faire la planche.

Un vrai gilet de sauvetage

La loutre n'a pas de graisse sous la peau, seule sa fourrure dense la protège du froid. Elle la nettoie plus de 2 heures par jour ! Elle peigne soigneusement ses 800 millions de poils avec ses griffes ! Puis elle souffle de l'air dans son pelage, qui, ainsi gonflé, lui permet de flotter comme une bouée !

S'adapter au climat

Pour mieux résister aux hivers, la loutre mange chaque jour l'équivalent d'un quart de son poids en nourriture ! Si elle a encore froid, elle sort ses pattes arrière hors de l'eau afin d'absorber les rayons du soleil. Et la voilà réchauffée !

Manger et flotter

Elle aime surtout les oursins, les mollusques (moules et huîtres), et les crabes.
Elle écrase les coquilles et les carapaces avec une pierre et termine de les décortiquer à l'aide de ses molaires.
Elle adore faire la planche et déguste sa nourriture sur le dos. C'est dans cette position qu'elle se repose, enroulée dans un lit d'algues qui l'empêchent de dériver trop loin du rivage.

La loutre peut programmer sa mise bas. Si les tempêtes saisonnières sont trop risquées, elle est capable de bloquer le développement de l'œuf jusqu'à 6 mois !

Le diable de mer

Les sauts hors de l'eau de la raie manta sont impressionnants. Ils peuvent atteindre 2 m.

La raie manta n'a pas bonne réputation. Certains marins racontent qu'elle hypnotisait les pêcheurs en sautant dans leurs bateaux, avant de les entraîner vers le fond. Son surnom de diable de mer lui vient de ses deux cornes situées à l'avant du corps. Mais cette raie n'est pas si effrayante qu'elle en a l'air.

Mangeuse de plancton

Toujours grande ouverte, sa bouche, située entre ses deux cornes, n'avale que du plancton ou de petits poissons. Puis elle expulse l'eau par des fentes situées sous son ventre. Les aliments sont alors retenus par des filtres spéciaux. Comme son cousin le requin, la raie est un poisson cartilagineux qui n'a pas d'os (le cartilage est un tissu résistant et élastique ; les oreilles des hommes sont cartilagineuses).

Comme un oiseau

Elle se propulse dans l'eau en battant des nageoires comme le font les oiseaux avec leurs ailes, et utilise les courants. Son vol aquatique est très gracieux. Lorsqu'elle bondit hors de l'eau, son corps, qui mesure 6 m et pèse environ 2 tonnes, retombe avec un bruit qui ressemble à un coup de canon.

C'est une des plus belles créatures de l'océan, de l'avis des plongeurs qui l'ont rencontrée.

Des poissons-oiseaux

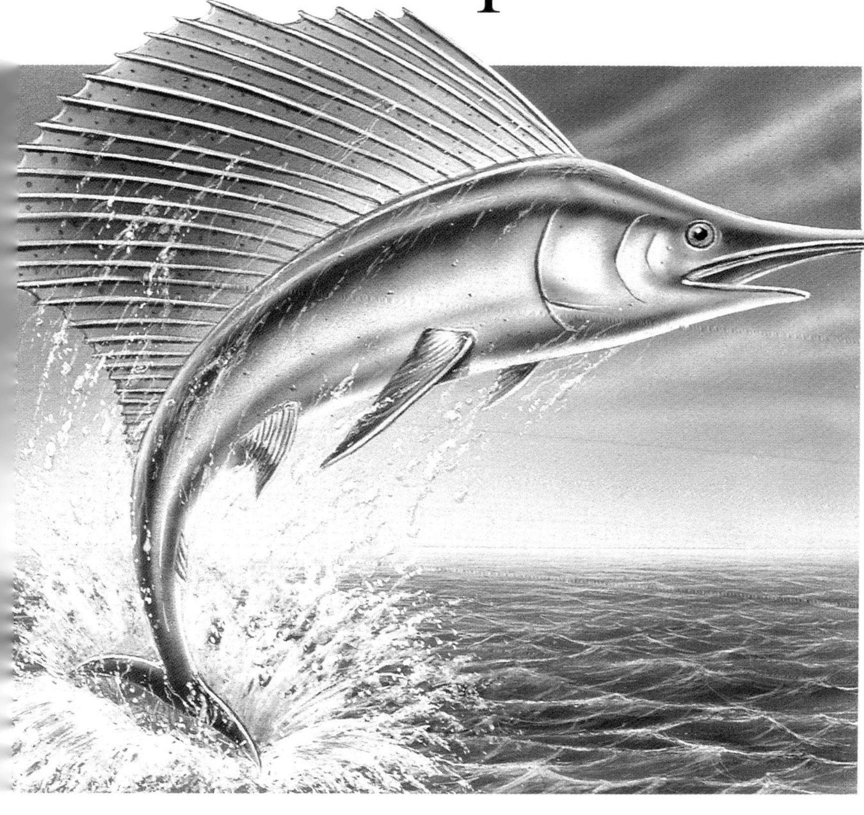

Il n'y a pas que la raie manta qui bondisse hors de l'eau ! Certains poissons se prennent aussi pour des oiseaux.

Des harengs volants

De nombreux exocets vivent dans les mers tropicales et tempérées. On les reconnaît à leurs étonnantes nageoires qu'ils déplient comme des ailes lorsqu'ils sortent de l'eau. Les exocets ressemblent beaucoup aux harengs, c'est pourquoi on les appelle aussi les harengs volants.

Voler pour échapper aux thons

Dans l'eau, ils replient leurs nageoires et ne remuent que le bas de leur corps. Quand ils volent, ils prennent leur élan, ouvrent leurs nageoires et bougent très rapidement leur queue. On compte 50 battements par seconde ! Les nageoires tendues, la queue frétillante, ils planent parfois sur 200 m. Cela leur permet d'échapper aux thons qui les pourchassent. Mais, dans l'air, ils font le bonheur des oiseaux de mer, qui les attrapent en plein vol et n'en font qu'une bouchée. La nuit, attirés par les lumières, ils se heurtent parfois aux navires.

Le voilier (ci-contre)

Il vit dans les hautes mers tropicales, surtout dans l'océan Indien et plus rarement en Méditerranée. Long de 3 m, le voilier peut peser 100 kg. Il porte sur le dos une nageoire très colorée semblable à la voile d'un bateau, qui atteint parfois 1,50 m de haut. Très rapide, le voilier bondit brusquement hors de l'eau jusqu'à 100 km/h. C'est aussi un bon nageur : il poursuit les poissons et calmars dont il se nourrit.

Les exocets peuvent atteindre des vitesses étonnantes, de 80 à 90 km/h.

L'animal-fleur

Seul le poisson-clown ne craint pas les anémones ; il sécrète un anti-poison qui le protège du poison libéré par ces belles dangereuses

Les anémones de mer, qui ressemblent à de jolies fleurs, sont des animaux. Des espèces tropicales atteignent près d'un mètre de diamètre, tandis que les plus petites ne sont pas plus grosses qu'une tête d'épingle.

Elle sait faire régime.

L'anémone ressemble à un sac dont l'ouverture serait la bouche entourée d'une forêt de tentacules. Dès qu'un animal touche l'un de ces tentacules, ceux-ci lui injectent un poison qui le paralyse, et plusieurs tentacules amènent la proie vers la bouche. Les anémones avalent tout ce qu'elles attrapent, même des proies plus grosses qu'elles ! Elles se déforment alors sous l'effet de la digestion. Mais ces animaux-fleurs peuvent aussi passer de longs moments sans se nourrir et maigrir alors beaucoup. Leur longévité serait peut-être due à ces périodes de jeûne, car on a vu des anémones vivre plus d'un siècle !

L'anémone se met en boule.

Lorsqu'elle a peur ou qu'elle se trouve hors de l'eau, l'anémone rétracte ses tentacules et se met en boule, ne laissant plus apparaître qu'un petit orifice.

Des naissances variées

Chez les anémones, il existe des mâles et des femelles, et des espèces qui sont les deux à la fois. Certaines expulsent les cellules femelles et les spermatozoïdes qui s'uniront pour former des larves. D'autres développent les petites anémones dans leur corps. D'autres encore bourgeonnent comme des plantes, chaque bourgeon donne une petite anémone.

Belles mais dangereuses

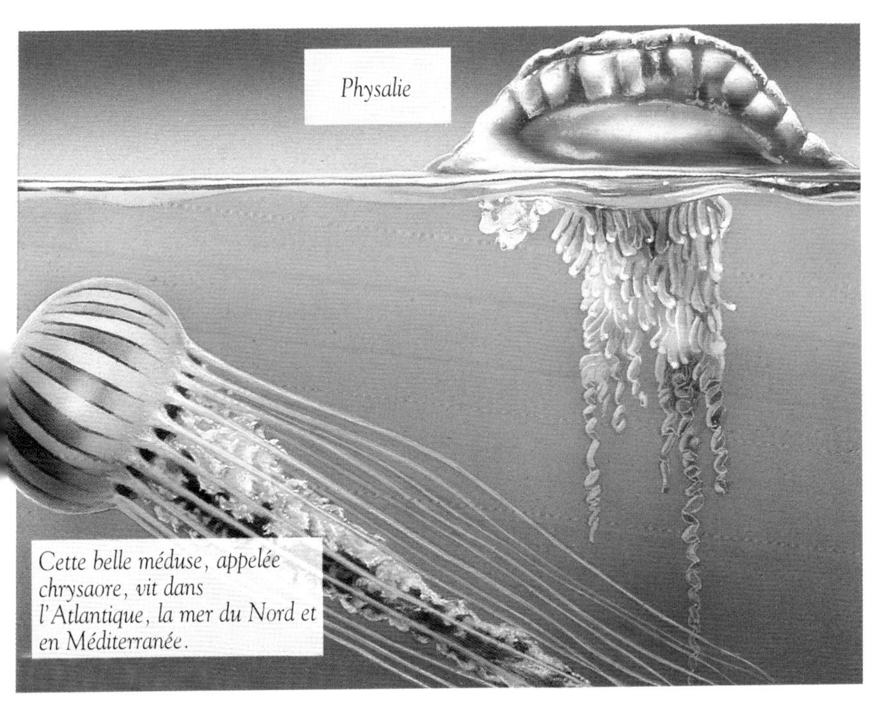

Cette belle méduse, appelée chrysaore, vit dans l'Atlantique, la mer du Nord et en Méditerranée.

Les méduses sont de curieux animaux transparents, gélatineux, en forme de sacs ou de soucoupes volantes, et qui renferment jusqu'à 95% de leur poids en eau.

De mauvaises nageuses

Les méduses avancent en se propulsant : elles ouvrent puis ferment leur ombrelle comme un parapluie ! Mais cette méthode n'est pas très efficace, c'est pourquoi elles se laissent souvent porter par les courants.

Attention aux tentacules

De leur corps translucide pendent des tentacules de longueur variable. Ces longs bras leur servent à capturer des petits poissons, du plancton et des crustacés, et peuvent être dangereux pour l'homme car ils provoquent des piqûres et des brûlures très douloureuses. Gare aux guêpes des mers chaudes d'Asie : les piqûres de ces méduses peuvent tuer en quelques minutes ! Mais elles ne sont pas toutes aussi dangereuses, ainsi une méduse géante appelée cyanée, qui mesure 2 m de diamètre et dont les tentacules atteignent près de 70 m, ne brûle que légèrement ceux qui la frôlent.

Le vaisseau de guerre portugais

C'est le nom donné à la méduse physalie. Elle possède un flotteur en forme de ballon d'environ 20 cm qui apparaît comme une voile à la surface de l'eau. En groupe, les physalies ressemblent à une flotte militaire, d'où leur nom.

Pour se reproduire, la méduse aurélie expulse ses œufs par l'orifice qui lui sert de bouche. Les œufs se transforment en larves qui nagent avant de se fixer sous forme de polypes. Le polype se divise alors en "crêpes" qui se détachent, donnant chacune une jeune méduse.

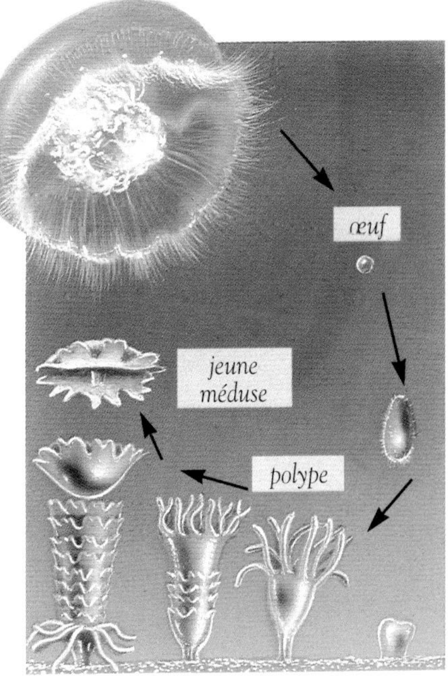

De superbes voraces

La plupart des étoiles de mer ont des couleurs orangées, mais l'étoile bleue du Pacifique joue les originales.

Il existe des centaines d'espèces d'étoiles de mer. Les plus communes ont 5 branches. Mais certaines en ont 40 ! Leur taille varie de quelques centimètres à 1 mètre. Leur bouche se trouve au centre de leur corps.

Un appétit féroce

L'étoile de mer est très vorace : elle se nourrit surtout d'huîtres, de moules, de palourdes et de coquilles Saint-Jacques. A l'aide de ses longs bras munis de ventouses, elle ouvre les coquilles les plus robustes, puis elle éjecte son estomac de sa bouche afin qu'il pénètre dans le coquillage pour le savourer lentement. L'étoile "couronne d'épines" grimpe sur les coraux pour les dévorer. Elle provoque de véritables catastrophes dans les récifs coralliens du Pacifique et de l'océan Indien.

Des bras qui repoussent.

S'il arrive à l'étoile d'être amputée par un crabe ou un poisson, quelques semaines plus tard son bras manquant repousse. Si le membre arraché n'a pas été dévoré, celui-ci se développera et peu à peu donnera naissance à une nouvelle étoile de mer.

La couronne d'épines et l'oreaster habitent les récifs coralliens.

oreaster

couronne d'épines

Un monstre sympathique

On a longtemps décrit la pieuvre comme un monstre pouvant entraîner des navires au fond des océans et étouffer les hommes. De nos jours, on connaît mieux les mœurs de cet animal étonnant.

Les huit bras de la pieuvre lui servent avant tout à se déplacer et à saisir sa nourriture. Son repas favori est la langouste. La pieuvre chasse surtout à la tombée de la nuit ou au lever du jour. Crustacés, mollusques et poissons seront attrapés par surprise. La pieuvre les enferme à l'aide de la membrane qui relie ses huit bras munis de ventouses, puis les paralyse en crachant son venin. Elle possède aussi un bec qui peut broyer les carapaces les plus dures.

Des émotions et des couleurs

Suivant les situations, la pieuvre change de couleur. Lorsqu'elle sent un danger, elle devient toute blanche et se cache. Mais si elle gagne un combat, elle se colore en rouge. Menacée, la pieuvre projette un nuage d'encre noire qui la camoufle. Impossible de la repérer. Elle est aussi capable de prendre la couleur du fond sur lequel elle se pose.

Des œufs au plafond

Selon les espèces, il peut se passer plusieurs semaines à plusieurs mois entre l'accouplement du mâle et de la femelle et la ponte des œufs. La pieuvre accroche ensuite au plafond de sa grotte des cordons blanchâtres, qui contiennent des milliers d'œufs. A partir de ce moment, elle ne les quitte plus des yeux, les nettoie avec ses tentacules et les protège des poissons voraces. Elle fortifie même l'entrée de sa grotte avec des pierres. Pendant toute cette période, la pieuvre refuse de se nourrir et, lorsque les œufs éclosent, elle est épuisée et meurt peu après. Elle ne pond donc qu'une seule fois dans sa vie !

La pieuvre est un animal "à réaction" : elle se sert de ses tentacules pour se propulser vers la surface.

Savoir se cacher et

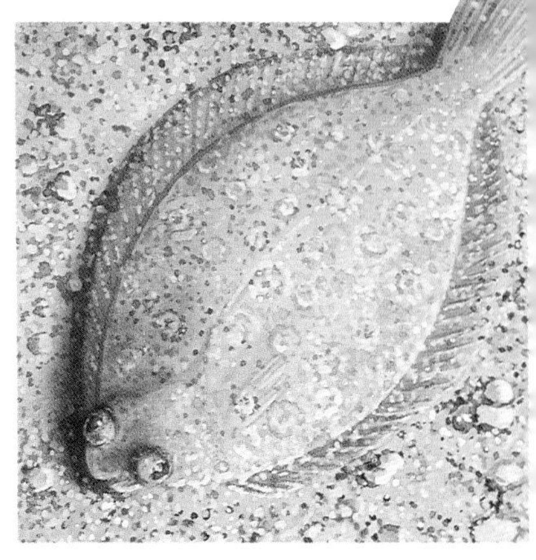

La sole, ci-dessus, peut parfaitement se confondre avec le sable, le poisson-pierre, quant à lui, guette tranquillement ses proies, caché au mileu des rochers : il est invisible !

Sur terre comme sous la mer, les animaux doivent sans cesse lutter pour chasser et se protéger. Dans les fonds marins, poissons, mollusques et crustacés disposent de camouflages extraordinaires et d'armes redoutables.

Passer inaperçu

Pour chasser discrètement ou simplement éviter leurs pires ennemis, beaucoup de poissons prennent les couleurs de leur environnement. C'est le cas de la sole, caméléon des mers, dont on n'aperçoit plus que les yeux lorsqu'elle est enfouie dans le sable.
Le poisson-pierre, tacheté, arrive parfaitement à se confondre avec les roches près desquelles il se poste sans bouger. Impossible alors de voir ses terribles épines dont le venin peut tuer en deux heures. Le poisson-trompette, avec son corps étiré, peut prendre les couleurs des algues qui l'entourent pendant qu'il se nourrit en fouinant dans les recoins des rochers (voir p. 93).

Ruses de poissons

Certains poissons ou crustacés peuvent paraître des proies faciles pour leurs prédateurs, mais il ne faut pas se fier aux apparences. La crevette-pistolet, lorsqu'elle pressent un danger, produit avec sa

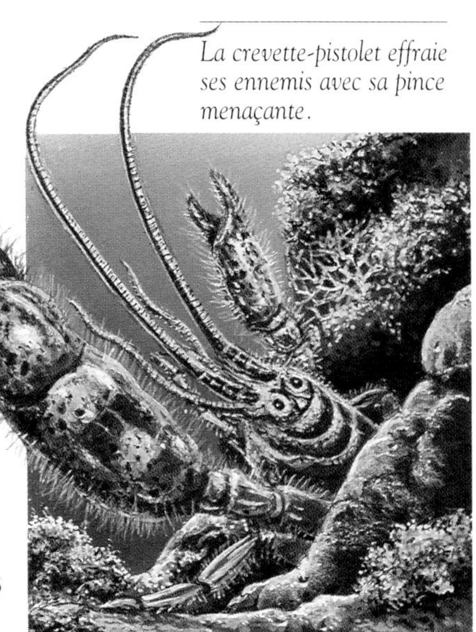

La crevette-pistolet effraie ses ennemis avec sa pince menaçante.

savoir se défendre

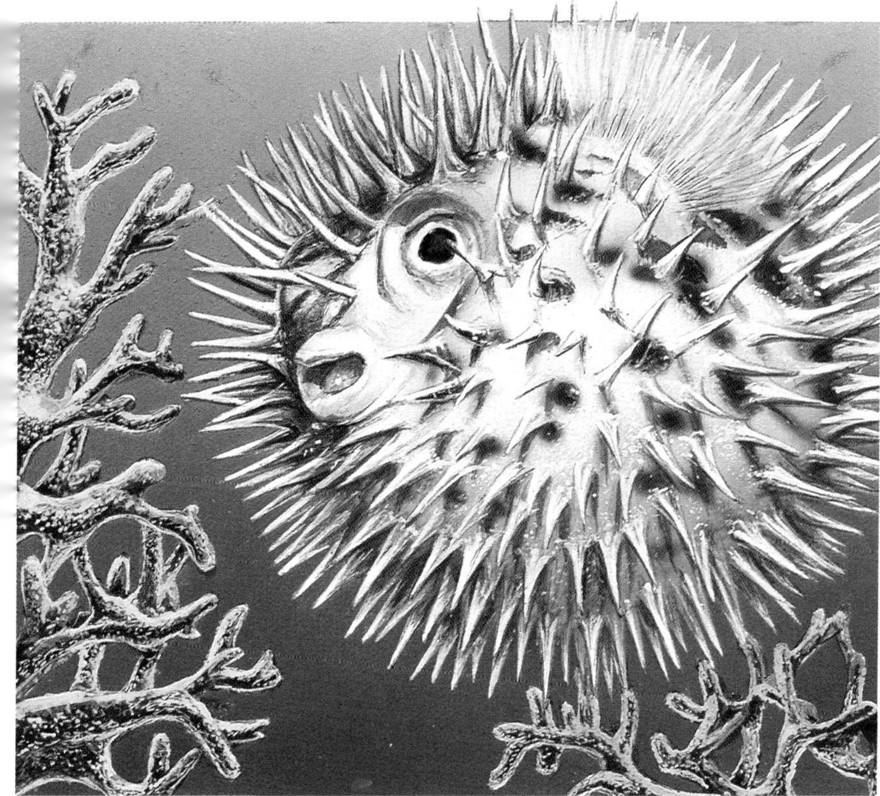

Le diodon lorsqu'il se gonfle d'eau, peut atteindre 3 fois son volume normal.

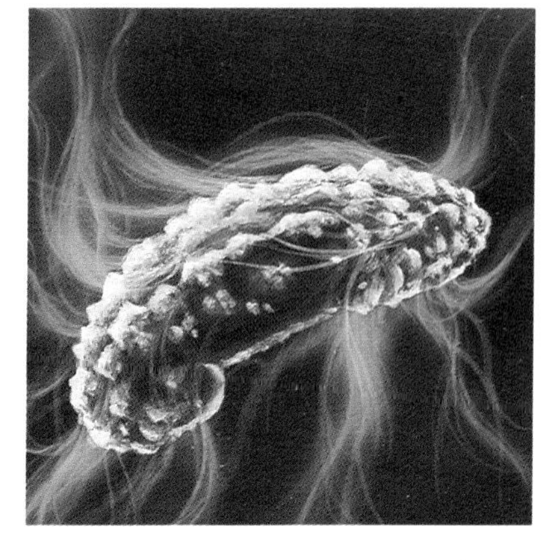

Attention aux sécrétions venimeuses de la limace de mer !

plus grosse pince un claquement sec qui, pour ses ennemis, fait l'effet d'un "coup de feu" et les éloigne.
Le diodon, appelé aussi poisson porc-épic, se gonfle comme un ballon lorsqu'il est dérangé et se hérisse de piquants pointus qui, normalement, sont plaqués contre son corps. Impossible alors de l'avaler. La limace de mer, qui paraît inoffensive, libère des sécrétions venimeuses dans l'eau pour éloigner l'ennemi.

D'importants sacrifices

Certaines espèces doivent parfois sacrifier une partie de leur corps pour garder la vie sauve. Il arrive aux crustacés de laisser une pince ou une patte à leur adversaire avant de parvenir à se sauver.
Le membre perdu repoussera quelques jours plus tard.

Très discret, le poisson-trompette glisse entre les coraux et les algues, dont il prend la couleur.

Le concombre des mers, qui ressemble à une limace à pattes, rejette une partie de son appareil digestif sur son ennemi pour l'emprisonner. Six semaines plus tard, ses organes se renouvelleront.

De véritables

Sur les rochers ou dans le sable, les mollusques de mer sont très occupés. Certains s'accrochent quand les vagues se déchaînent, d'autres s'ensablent, et chacun filtre l'eau pour pouvoir se nourrir.

Les filaments que l'on aperçoit parfois sur certains coquillages sont très utiles : ils évitent à l'animal de se faire emporter par les vagues.

Des bêtes à barbe

Moules, palourdes et huîtres se fixent aux rochers grâce à des filaments qui ressemblent à des poils ! C'est ce que l'on appelle le byssus. Pour se déplacer, l'animal tranche ces filaments et en fabrique d'autres ailleurs. Ces poils sont très précieux : ils permettent aux mollusques d'être accrochés aux rochers, en toute sécurité, lorsque la mer est déchaînée.

Des yeux qui repoussent !

La coquille Saint-Jacques vit jusqu'à près de 100 m de profondeur. On peut voir sur ses tentacules de nombreux petits yeux bleus. Si l'un d'entre eux est perdu, il est aussitôt remplacé par un autre. La saint-jacques se déplace en ouvrant et en refermant sa coquille. L'eau est chassée par l'arrière et le coquillage fait alors un bond en avant.

Un million de larves pour l'huître !

L'huître change de sexe au cours de sa vie. D'abord mâle, elle devient femelle au bout de quelques semaines, puis termine sa vie comme mâle.

pierres vivantes

Au moment de la reproduction, les spermatozoïdes sont émis dans l'eau. L'huître femelle s'ouvre pour les recevoir. Les œufs sont fécondés à l'intérieur de l'huître femelle et, au bout de 8 jours, la coquille libère jusqu'à un million de larves ! Celles-ci nagent pendant une à deux semaines, puis sortent leur pied et se fixent sur le premier objet solide venu. Mais très peu de larves parviennent à l'âge adulte : si elles ne sont pas mangées, les variations de température peuvent les faire mourir.

La lime bâillante (ci-dessus)

Cette cousine de la coquille Saint-Jacques est obligée de renforcer sa coquille fragile en collant des cailloux dessus ! Lorsqu'elles sont attaquées, certaines limes se séparent d'un ou plusieurs tentacules pour garder la vie sauve.

Filtres des mers

Moules, huîtres et limes sont de véritables éboueurs des mers. Pour se nourrir du plancton, elles filtrent l'eau et la rendent ainsi plus claire. Une moule brasse 80 litres d'eau de mer par jour et une huître entre 100 et 400 litres !

La coque a peur des tempêtes.

La coque vit jusqu'à 2 500 m de profondeur. Elle se déplace par bonds en tendant son pied, puis roule sur elle-même. Elle peut s'enfouir sous 4 à 5 cm de sable. Quand elle est enfouie, seuls ses siphons, qui portent des yeux, dépassent du sable. Outre ses prédateurs, elle craint les tempêtes qui la transportent hors de son milieu.

Pour sortir du sable, la coque s'aide de son pied.

Des œuvres d'art

Même si la taille de certains bénitiers leur permettrait d'engloutir un plongeur, ils ne sont pas dangereux, ils sont végétariens et se nourrissent de plancton.

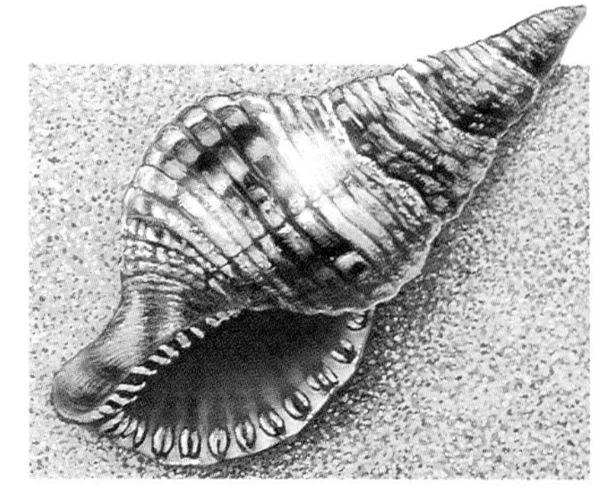

La coquille pousse généralement vers la droite. On a noté très peu d'exceptions.

Depuis l'Antiquité, les coquillages fascinent les hommes par leur beauté. En Chine, en 2000 av. J.-C., on les utilisait comme monnaie.

Une très jolie armure

Il y a 6 millions d'années, pour se protéger de leurs ennemis, les mollusques se sont construit des coquilles. Celles-ci ont peu à peu évolué. Ainsi, afin d'échapper aux crabes qui coupent le bout du coquillage et d'éviter d'être amputées, les coquilles se sont allongées.

Pour agrandir sa coquille, le mollusque ajoute de la matière autour de son ouverture. La coquille pousse presque toujours dans le sens des aiguilles d'une montre. Au début, elle gagne 1 cm par an, mais ensuite 1 à 3 mm seulement. Lorsque le mollusque est adulte, la coquille s'épaissit. Les plus gros coquillages sont les bénitiers géants trouvés dans les barrières de corail des océans Indien et Pacifique. Le plus grand, trouvé en 1956, pesait près de 340 kg.

Le bruit de la mer que l'on entend en collant l'oreille contre certains coquillages est en fait le bruit de notre circulation sanguine qui résonne dans la coquille.

Le mystère de leur beauté

Les coquillages ont souvent des couleurs magnifiques : jaune, rouge, orange... qui sont produites par des pigments que l'animal trouve en mangeant des végétaux marins.

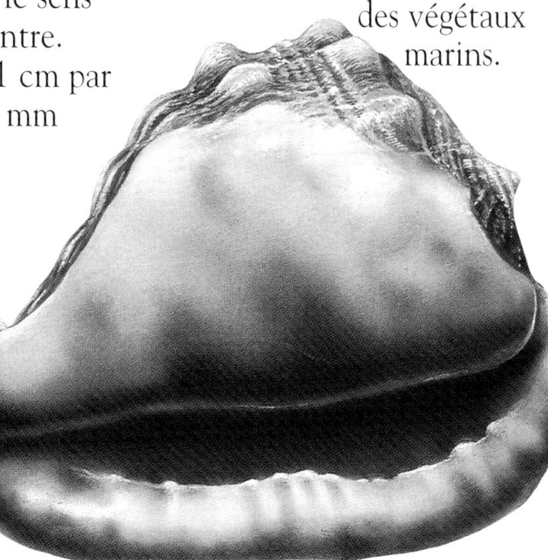

Des monstres minuscules

D'innombrables vers minuscules vivent au milieu des grains de sable de la plage.

Une poignée de sable contient environ 10 000 petites bêtes invisibles à l'œil nu, qui se nourrissent essentiellement de plancton mort, de bactéries et d'algues bleues fixées sur les grains de sable.

Vive les grains de sable !

Parmi ces petites bêtes, les vers sont les plus nombreux. D'une taille souvent inférieure à 1 mm, ils se faufilent entre les grains de sable sans les déplacer.

Certaines espèces plates s'enroulent autour de ces grains, tandis que d'autres, pour ne pas être emportées par les courants, se fixent au sable en fabriquant une sorte de colle. Quelques vers construisent, à l'aide de grains agglutinés, une vraie maison. Ces animaux n'arrêtent pas de bouger ! Pendant l'hiver, ils s'enfoncent profondément dans le sable, à l'abri des intempéries. Au printemps, et surtout en été, la température augmente, la mer devient de plus en plus calme et, dans le sable, l'oxygène se raréfie. Pour éviter d'être asphyxiés, ils reviennent vers la surface. D'autres espèces, quelle que soit la saison, s'enfouissent toute la journée dans le sable, à l'abri de la lumière, et ne sortent que la nuit.

Les puces de mer

Ce surnom vient de leur façon de se déplacer par bonds. Ces petits crustacés protégés par une carapace vivent dans l'eau de mer, le sable humide ou sous les algues. Leurs trois paires de pattes avant leur permettent de nager, les trois arrière de sauter.

Les puces de mer se dirigent instinctivement du sable de la plage vers la mer en s'orientant grâce au soleil et à la lune.

Un champion du vol

L'albatros, le plus grand oiseau marin volant, est présent sur tous les océans. Certains ont une envergure qui peut atteindre 3 m.

Les albatros se nourrissent de calmars, de poissons, parfois de petits manchots, d'oiseaux, mais aussi de krill, qu'ils capturent à la surface des eaux, principalement la nuit, lorsque le plancton remonte à la surface. Ils sont d'ailleurs dotés d'une excellente vision nocturne. Pour pêcher, il leur faut souvent plonger et "voler sous l'eau". En cas de danger, certains albatros projettent à la tête de leurs ennemis une substance huileuse, à l'odeur nauséabonde, produite par leur estomac.

Des kilomètres par jour

Grands voyageurs, les albatros survolent les océans, à la recherche de leur nourriture, pendant des milliers de kilomètres, s'éloignant des côtes durant des mois et même des années. Certains sont capables d'effectuer plus de 15 000 km en un mois. Les ailes déployées, ils apprivoisent les vents et peuvent planer dans l'air durant des heures sans effort. Ils ont beaucoup de difficulté à décoller et ils doivent souvent s'aider des vents. L'atterrissage est parfois périlleux : il arrive que l'albatros tombe sur le côté, et il peut même faire la culbute.

Les albatros pondent un seul œuf tous les deux ans. A sa naissance, bébé albatros pèse environ 300 g. Il est couvert de duvet blanc.

Des oiseaux en smoking

Les manchots sont des oiseaux qui ne volent pas, mais qui nagent. Ils ne restent pas longtemps sous l'eau, mais peuvent avancer jusqu'à 50 km/heure.

Leur plumage dense est aussi chaud qu'une fourrure, mais pour se protéger du vent glacial qui souffle sur la banquise, les manchots se serrent les uns contre les autres. Ils restent ainsi durant deux mois, sommeillant debout et mangeant peu. Ils communiquent à l'aide de cris, de chants et de gestes. Les couples se retrouvent d'une année sur l'autre au même endroit. Ils se reconnaissent grâce à leurs cris et construisent ensemble leur nid dans la roche ou à même le sol.

C'est papa qui couve !

Chez le manchot, une fois que la femelle a pondu, elle confie son œuf au mâle puis repart en haute mer pour se nourrir.

Pendant deux mois, le père couve l'œuf en le plaçant sur ses pattes palmées, dans un repli de peau. Lorsque le petit naît, le père est épuisé et a perdu beaucoup de poids. Il est temps que la maman revienne s'occuper du poussin pour que papa puisse aller reprendre des forces.

Qui sont les pingouins ?

Dans de nombreux pays, on appelle les manchots des pingouins. Ce sont pourtant deux groupes d'oiseaux très différents. Les manchots ne savent pas voler et vivent dans l'hémisphère Sud, tandis que les pingouins se servent correctement de leurs ailes, savent aussi nager et occupent l'hémisphère Nord.

Pendant l'hiver, les pingouins nichent dans les falaises pour se reproduire. Sinon, ils vivent surtout en haute mer.

Des plongeurs et des

Fous de Bassan, cormorans et sternes sont d'excellents plongeurs. Pour pêcher, ils sont capables d'effectuer des prouesses.

Un plongeur fou

Le fou doit son nom à ses plongeons spectaculaires. Il n'hésite pas à se lancer d'une hauteur de 15 à 20 m à 90 et même 160 km/h. Avec son bec en forme de poignard, il assomme les poissons. Pouvant descendre à 7 ou 8 m de profondeur, il dévore les poissons et petites crevettes du plancton, mais se contente parfois des restes de pêche laissés par les marins. Le fou de Bassan va rarement à plus de 200 km des côtes et niche en colonies importantes sur les falaises.

Deux œufs, mais un seul survivant

La femelle du fou pond deux œufs, mais, lorsqu'ils éclosent, c'est à qui sera le plus fort pour s'approprier toute la nourriture que rapportent les deux parents. Le petit le plus faible mourra de faim sans que les adultes interviennent.

Sa vue lui permet de repérer ses proies à 40 m au-dessous de lui, même sous l'eau !

pêcheurs efficaces

Le cormoran est aussi appelé corbeau des mers à cause de sa couleur.

Le cormoran

Il vit au bord de la plupart des mers du globe. Il peut parcourir, chaque jour, des dizaines de kilomètres pour trouver des bancs de poissons. Le cormoran plonge parfois jusqu'à 10 m de profondeur et peut rester 2 mn sous l'eau. Là, il se sert de ses deux pattes palmées pour avancer, et non pas de ses ailes.

Gourmands !

Il pêche généralement en groupe et repère morues, merlans et harengs.
Il apprécie aussi les crabes. Très gourmand, il s'étouffe parfois en avalant trop vite sa proie. Le cormoran est capable de manger son propre poids de poissons chaque jour. Lorsqu'il se repose, son activité préférée est de rester sur les rochers à agiter ses ailes à demi-déployées, pour faire sécher ses plumes, car c'est le seul oiseau marin dont les plumes se mouillent.

La sterne, une gracieuse plongeuse

Grâce à ses ailes fines et pointues, la sterne vole parfaitement bien. Elle se nourrit surtout de poissons, de seiches et de crustacés qu'elle repère en volant à 5 m au-dessus de la surface de l'eau. Pour capturer les poissons repérés, elle plonge la tête la première, mais ne nage pas. On dénombre 40 espèces de sternes. La sterne caspienne s'élance d'une hauteur de 15 m pour plonger !

Un record de vol !

Au moment des grandes migrations, pour hiberner, la sterne arctique accomplit chaque année 40 000 km du cercle polaire arctique aux côtes du continent antarctique.

Lorsque l'on voit la sterne voler, on comprend pourquoi son surnom est l'hirondelle des mers.

Pirates des airs

Lorsque le mâle frégate veut séduire une femelle, il gonfle sa gorge qui ressemble alors à un ballon rouge. Pour impressionner encore plus madame, il écarte ses grandes ailes sur 2 m environ.

Certains oiseaux marins, qui ne peuvent ou ne veulent pas pêcher, sont de vrais bandits des airs et pillent les autres oiseaux.

Le labbe à longue queue

Cet oiseau vit dans les zones arctiques, mais, l'hiver, il migre plus au sud. Il est reconnaissable à sa queue très effilée dont certaines plumes peuvent atteindre 20 cm ! Comme il ne sait pas pêcher, le labbe harcèle les autres oiseaux marins (mouettes, sternes, goélands) jusqu'à ce qu'ils lâchent leurs proies (généralement du poisson), qu'il s'empresse d'attraper en plein vol.

Une autre voleuse : la frégate

Cet oiseau, dont les ailes peuvent atteindre 2 m, est plus à l'aise dans les airs que sur la mer. Ses pattes à peine palmées et ses plumes pas vraiment imperméables ne lui permettent pas de nager. La frégate pourchasse sans merci les oiseaux de mer afin de leur dérober leur nourriture.

Sa victime peut rarement lui échapper avant d'avoir laissé tomber sa proie. Ces pirateries lui permettent de se nourrir, mais, dès que ses victimes migrent et changent de région, la frégate doit chasser et plonger elle-même.

Le labbe ne pêche pas lui-même, il attaque d'autres oiseaux pour leur dérober leur butin.

Des becs très utiles

La nature a pensé à donner à certains oiseaux pêcheurs des becs bien utiles. Ce sont de vrais sacs à provisions pour eux et leurs petits.

Le macareux

A cause de son bec coloré, on le surnomme le perroquet des mers. Il vit en colonie sur les côtes rocheuses de l'Atlantique et du Pacifique Nord. Assez petit, les ailes et la queue courtes, il vole et nage facilement. Au cours de sa pêche, il plonge sur sa proie, la saisit dans son bec, l'assomme et la place en réserve sans laisser s'échapper les autres poissons. Il peut ainsi retenir des dizaines de petits poissons coincés entre son palais et sa langue équipée de crochets.

Dans la poche !

Le bec du pélican possède une poche élastique, qu'il utilise comme une épuisette. En vol, il repère des bancs de poissons, tels que les sardines ou les anchois, et se laisse tomber parfois de 10 ou 20 m, bec en avant, ailes plaquées le long du corps et pattes jointes. Il plonge alors bec ouvert et recueille ses victimes dans sa poche. Ce sac extensible peut contenir 12 litres d'eau. Lorsqu'il redresse le bec, le pélican rejette l'eau et engloutit sa pêche d'un seul coup ! Le pélican adulte peut avaler 1 kg de poisson par jour. Lorsque les petits sont capables d'être nourris bec à bec, ils enfoncent la tête et le cou dans le bec du parent pour récupérer le poisson dans la poche. Les pélicans bruns d'Amérique pêchent plutôt en groupe et volent en file indienne pour repérer leurs repas.

Grâce à sa poche élastique, le pélican peut rapporter à ses petits les poissons pêchés.

Des espèces mena

On ne compte plus qu'une quarantaine de requins blancs au large de l'Australie.

Aujourd'hui, malgré les lois votées pour la protection de certains animaux, il reste beaucoup d'espèces marines menacées de disparition, et c'est souvent l'homme qui est responsable des dangers qui les guettent.

Piégés et massacrés

La chasse a décimé des milliers d'animaux... De 1937 à 1987, 2 millions de baleines ont été massacrées. Bien qu'aujourd'hui protégées, la baleine bleue et la baleine franche ont presque disparu. Les baleines à bosse sont aussi moins nombreuses. Phoques et otaries ont longtemps été chassés pour leur fourrure. Désormais, ils sont attaqués par les pêcheurs, qui les accusent d'abîmer leurs filets. Les dugongs, les marsouins, les tortues et les raies se laissent piéger par ces mêmes filets.

On compte que 100 millions de requins (surtout des petits) sont victimes de l'homme chaque année ! Certaines espèces de tortues, appréciées pour leur chair et leurs œufs, sont également chassées. D'autres meurent en avalant des sacs plastique qu'elles confondent avec des méduses. Le vieux cœlacanthe (voir p. 56), apparu il y a 400 millions d'années, est maintenant menacé lui aussi.

Délogées et trompées

Les tortues marines ont de plus en plus de mal à venir se reproduire sur les plages envahies par les touristes, et lorsque les petites tortues parviennent à sortir de l'œuf, au lieu de se laisser guider par les lumières de la lune et des

La tortue imbriquée de Nouvelle-Guinée est menacée à cause de sa superbe carapace dont on fait des bijoux.

·ées de disparaître

Chassé pour sa peau, le crocodile marin était devenu de plus en plus rare sur les côtes de l'Afrique orientale et de l'Australie. Dans ce dernier pays, il est maintenant protégé.

étoiles, elles sont attirées par les lumières artificielles de la côte. Elles se dirigent alors vers les terres et meurent déshydratées.

Plus rien à manger

Les dugongs (voir p. 108) et les lamantins, qui ne se reproduisent en moyenne que tous les 5 ans, meurent régulièrement de faim. En effet, ces gloutons ne trouvent plus assez de nourriture dans les champs d'herbes sous-marines de plus en plus envasés et pollués. Les lions de mer de Nouvelle-Zélande disparaissent peu à peu, car les calmars dont ils se nourrissent deviennent rares à cause des pêches intensives.

Enfin protégés

Au début du XVIIIe siècle, on comptait du Japon à la Californie, près de 200 000 loutres marines. Chassées pour leur fourrure, il n'en restait en 1911 que 1 000 à 2 000 ! Très sensibles à la pollution et victimes des marées noires, elles désertent peu à peu les régions du Pacifique où elles vivent. Aujourd'hui, l'homme tente de les protéger. La chasse des baleines, des phoques, des otaries et des morses, très convoités pour leur peau, leur fourrure, leur graisse ou leur ivoire, est aussi interdite et surveillée.

Le lion de mer de Nouvelle-Zélande est lui aussi en train de s'éteindre.

Une algue géante

Le kelp est une algue géante du Pacifique. Elle peut grandir de 50 cm par jour ! Aucune plante terrestre ne pousse aussi vite. Une de ses espèces dépasse souvent 100 m de long et peut même atteindre 300 m. C'est l'un des plus grands végétaux de la planète !

Une algue à flotteurs

Au large des côtes de Californie, elle forme de véritables forêts sous-marines. De nombreux animaux s'y abritent et s'en nourrissent. La loutre marine adore s'enrouler dans ses feuilles pour s'endormir. Fixé au fond de la mer, le kelp étend des feuilles, appelées thalles, aplaties et dentelées, qui flottent grâce à des sacs remplis d'air, semblables à de petites bouées.

Les longues feuilles plates du kelp sont munies de petits flotteurs qui leur permettent de s'étaler en surface et ainsi de bénéficier des rayons du soleil.

Du kelp dans le dentifrice

Le kelp envahit tellement certaines zones qu'on est obligé de le moissonner ! En effet, il est coupé à plusieurs mètres de profondeur par des machines et déchargé sur des barges. Le kelp géant est ensuite traité et utilisé dans la pâte dentifrice ou la peinture ! L'alginate, une substance tirée du kelp, permet même de rendre la bière mousseuse, mais on l'emploie principalement pour des médicaments et des produits de beauté.

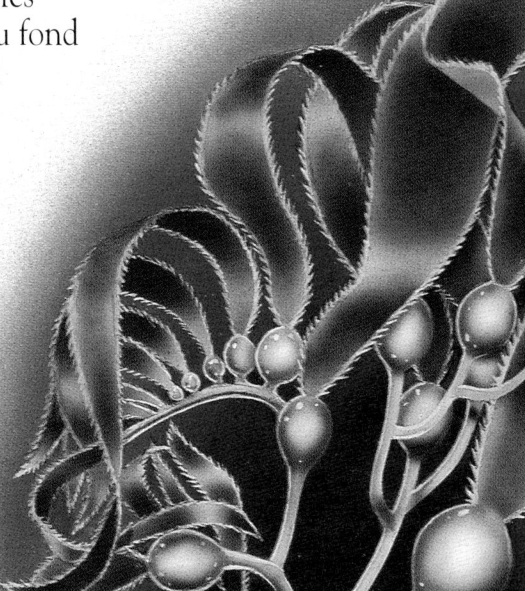

Envahissantes et gênantes

Certaines algues particulièrement résistantes se multiplient à grande vitesse et foisonnent dans différentes parties de l'océan.

La caulerpe

La caulerpe, une algue vert fluo d'origine tropicale, est arrivée sur les côtes européennes accrochée aux filets de pêche et à l'ancre des bateaux. Cette plante exotique résistante a réussi à se répandre sur le littoral méditerranéen. On la retrouve jusqu'à 30 m de profondeur. Depuis 1984, elle a envahi plusieurs milliers d'hectares, car elle pousse d'environ 6 cm par an ! Généralement, cette algue cesse de se développer en dessous de 15°C, mais en Méditerranée elle survit à 7°C. Elle résiste donc aux hivers doux de la région. De plus, peu de poissons mangent cette algue toxique, ce qui facilite son expansion. On a trouvé une petite limace qui la dévore avec beaucoup d'appétit dans les eaux tropicales. Peut-être est-ce une solution pour la Méditerranée ?

La sargasse géante

Cette algue est arrivée du Japon en Europe collée à quelques huîtres. Elle s'est installée dans les zones calmes de l'Atlantique et de la Méditerranée, le long des côtes et dans les étangs littoraux. Elle se développe sur tout support dur (rocher, caillou, déchet...) à une vitesse étonnante. Sur les côtes américaines, elle s'étend au rythme de 60 km par an !

Au Japon, la sargasse peut atteindre 3 ou 4 m.

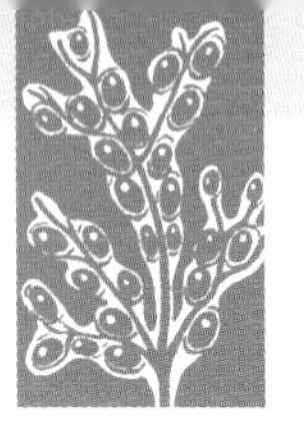

Des prairies sous-marines

C'est dans ces prairies des mers que les dugongs viennent brouter.

Les prairies de posidonies, appelées aussi herbiers, sont constituées de plantes à fleurs qui sont retournées à la mer il y a des millions d'années. Ces herbiers se trouvent en Méditerranée et sur la côte Ouest de l'Australie.

Une “prairie-maternité”

Les posidonies de Méditerranée ont des feuilles longues de 20 à 80 cm. Groupées par 4 ou 8, elles forment des bouquets attachés à des tiges rampantes, à 40 m de profondeur. Ces herbiers littoraux servent de maternités et de crèches à un grand nombre d'animaux marins. Ils y éclosent, y vivent leurs premières semaines d'existence, puis, une fois adultes, reviennent s'y reproduire.

Des fruits dans la mer

Les posidonies fleurissent au début de l'automne. Leurs fleurs vert très clair et sans pétales se confondent avec les feuilles. Mais la plante, sensible aux basses températures, ne fleurit pas chaque année : il faut parfois attendre 6 ans ! Les fruits produits par les fleurs sont semblables à des olives et mettent 6 à 8 mois pour mûrir. Ils tombent entre mars et mai et sont emportés par les courants. Si les conditions de température, de lumière et de salinité conviennent, le fruit germera et donnera naissance à une nouvelle posidonie.

Des herbiers indispensables

Les herbiers stabilisent les fonds marins : ils empêchent les tempêtes de déplacer de trop grandes quantités de sable et de dépôts. Ils constituent aussi la nourriture de certains animaux comme les dugongs et les tortues, mais les posidonies sont sensibles à la pollution.

Des arbres à échasses

Les mangroves sont des forêts d'arbres et d'arbustes qui poussent dans la vase le long des côtes tropicales. Présentes en Amérique, en Afrique, en Asie et en Australie, ces forêts sont surtout composées de palétuviers. Ces arbres ont des racines qui leur permettent de tenir debout dans la vase.

Vivre au bord de l'eau

Les mangroves couvrent dans le monde environ 100 000 km^2. Ce qui représente un peu plus que la surface du Portugal ! Ces forêts sont adaptées à l'eau salée de la mer, aux inondations dues aux marées et aux températures élevées ne descendant jamais au-dessous de 16 °C. Les graines de certains palétuviers germent directement sur l'arbre et forment des plantules en forme de flèches qui mesurent 40 cm. Au bout de quelque temps, elles tombent et se plantent dans le sol, évitant ainsi d'être emportées par la mer. Dans la vase, les palétuviers ne trouvent pas l'oxygène indispensable à leur croissance. Certaines espèces ont donc des racines aériennes, d'autres font sortir leurs racines de l'eau comme des piquets de bois.

Le poisson-promeneur est unique : il est capable de vivre 2 jours de suite hors de l'eau et se nourrit d'insectes trouvés dans les mangroves.

Une véritable réserve animale

80 % des espèces marines tropicales passent une partie de leur vie dans la mangrove pour se reproduire et se développer. La mangrove constitue la nourriture de base de certaines espèces, notamment des larves, qui seront à leur tour mangées par d'autres animaux. Il s'y trouve une grande variété de crevettes et de crabes, dont un géant de 90 cm d'envergure. On peut y voir le poisson-promeneur sauter sur la vase avec ses nageoires.

A la recherche

La plus grande plate-forme du monde mesure 472 m de haut et exploite du gaz. Elle est plus haute que la tour Eiffel.

Le pétrole s'est formé il y a des centaines de millions d'années au fond de l'océan à partir du plancton mort. Recouverts d'épaisses couches de vase et de sable, ces déchets ont pourri et, sous l'action de la température et de la pression, se sont transformés en pétrole ou en gaz.

A la recherche de gisements

C'est en 1947 que l'on a commencé à rechercher des hydrocarbures (pétrole et gaz) sous la mer. La plupart des gisements sont situés sur les plateaux continentaux, où la couche de sédiments atteint plusieurs kilomètres. Ceux du Texas, du Venezuela, du golfe Persique et de la mer du Nord sont les plus importants. Ils contiennent soit du pétrole, soit du gaz, parfois les deux. Pétrole et gaz sont extraits de la même façon. Pour trouver les gisements les plus intéressants, les spécialistes sondent la roche à l'aide de puits d'essai et évaluent l'importance de la source. Sur 100 puits forés, seuls 2 ou 3 sont réellement productifs. Le navire *Glomar Challenger* a été spécialement conçu pour effectuer les plus profonds forages de prospection, jusqu'à 1 740 m au nord de l'Espagne. Mais ce type de bateau coûte très cher et peu de pays en disposent.

Une ville sur la mer

Une fois qu'un gisement a été repéré, on remplace la plate-forme d'exploration par une plate-forme de production

de l'or noir

permanente qui est fixée au fond. C'est une véritable ville sur la mer. Elle est alimentée par hélicoptère ou bateau-ravitailleur et comprend une aire d'atterrissage, des grues, des salles de travail, mais aussi des logements, un cinéma... En effet, une centaine d'hommes y travaillent isolés du monde pendant plusieurs semaines.

Le forage

Au début de l'exploitation sous-marine, on forait sous une dizaine de mètres de fond. Maintenant, on peut forer à plus de 2 000 m de profondeur et creuser dans les fonds océaniques des trous de 5 000 m. On utilise le trépan, un outil très solide dont les dents, en acier ou en diamant (pour sa résistance), attaquent la roche en tournant.
On injecte alors une boue de forage qui sert à éviter l'échauffement. Au moment de l'exploitation, chacun des puits est surmonté d'un ensemble de vannes que l'on appelle arbre de Noël.
Le gaz et le pétrole sont remontés sur la plate-forme-réservoir, puis sont séparés de l'eau et des particules solides, ils sont ensuite acheminés par bateau ou à l'aide de longs tuyaux appelés oléoducs pour le pétrole, et gazoducs pour le gaz.

Prévenir les dangers

La sécurité sur les plates-formes est le souci majeur des ingénieurs. Ces énormes structures de béton et d'acier, dont le poids peut atteindre plus de 100 fois celui de la tour Eiffel, doivent résister aux plus féroces tempêtes, aux tremblements de terre, aux tsunamis et à tous les événements exceptionnels.
Elles doivent être capables de tenir face à des vagues de plus de 30 m de haut et à des vents de plus de 160 km/h.
Afin d'éviter que les bateaux ne les heurtent en plein brouillard, elles doivent aussi être signalées.
Malgré tout, des accidents peuvent arriver avec des conséquences souvent dramatiques. Ainsi, la plate-forme Alexander Kielland, qui s'est retournée en 1980 en mer du Nord, a provoqué la mort de 123 employés.

Des concentrés d'énergie

Certains fonds marins sont tapissés par endroits de petites billes noires, de quelques millimètres à plusieurs mètres de diamètre. Ce sont des nodules. Ces billes sont faites de métaux variés (manganèse, fer, cuivre, cobalt, nickel...) qui, une fois exploités, servent pour l'industrie.

Une drôle de formation

Ces billes sont le résultat d'une accumulation de dépôts minéraux autour d'une roche volcanique ou de déchets organiques (une coquille de mollusque, une dent de requin...).

Une exploitation difficile

Il y aurait environ 10 milliards de tonnes de ces petites billes dans l'océan. Dans le Pacifique, un champ de nodules de manganèse serait aussi grand que l'Australie ! On estime qu'il se forme environ 6 milliards de tonnes de nodules par an dans le Pacifique. Ce sont des ressources importantes pour l'industrie. Le manganèse est notamment utilisé dans la peinture, la fabrication des piles et la sidérurgie.
Les petites billes sont aspirées à 5 ou 6 000 m de fond à l'aide d'un aspirateur sous-marin ou elles sont récoltées à partir d'un bras articulé fixé à un submersible spécialisé.
On envisagerait même d'utiliser des camions sous-marins télécommandés !

De la richesse dans la boue !

A plus de 2 000 m de profondeur en mer Rouge, il existe une boue épaisse qui représente une vraie richesse : on y trouve du zinc, du cuivre et même de l'argent ! Cette boue est diluée, aspirée (ci-dessous), puis acheminée sur un bateau qui la traite pour recueillir les métaux.

De l'eau à la lumière

L'océan, avec ses vagues, ses courants et ses marées, représente une formidable source d'énergie que l'homme tente depuis longtemps d'exploiter.

De la farine à l'électricité

Dès le XIIe siècle, nos ancêtres ont commencé à exploiter la force des marées en utilisant des moulins équipés de roues à aubes. C'est ce que l'on appelle l'énergie marémotrice.
En Europe, on a surtout développé ces moulins depuis le XVIIe siècle, notamment aux Pays-Bas. Aujourd'hui, on a remplacé les moulins par des usines marémotrices non plus pour moudre le blé, mais pour produire de l'électricité. Il ne reste plus qu'un seul moulin qui fait encore de la farine, il se situe en Angleterre.

La première centrale du monde

L'usine marémotrice de la Rance est la première et la plus grande centrale du monde à produire ainsi de l'électricité. Elle a été construite en 1966 en France à côté de Saint-Malo, sur l'estuaire de la Rance, où la différence entre marées haute et basse peut atteindre 13,5 m. Il s'agit d'un barrage de 750 m de long, équipé de 24 tunnels situés sous le niveau de la mer. L'eau qui monte et qui descend passe dans ces tunnels et actionne les turbines-dynamos qui y sont installées, produisant alors de l'électricité. L'usine a une production suffisante pour alimenter en électricité une ville comme Rennes pendant un an. Depuis que le barrage fonctionne, le milieu naturel marin n'a pas été perturbé, la pêche continue et de nombreuses espèces sont présentes dans l'estuaire.

Ce sont 24 énormes turbines-dynamos comme celle-ci qui sont entraînées à marées montante et descendante dans l'usine de la Rance.

Un marché abondant

En Espagne, les hommes qui pêchent le thon ont une technique bien particulière et descendent dans le filet avec les poissons.

Sur les 40 000 espèces de poissons qui peuplent les océans, nous n'en consommons qu'un millier. Pourtant, dans le monde, chaque année, on pêche des millions de tonnes de poissons, mollusques et crustacés. Il y a d'innombrables techniques de pêche et chaque peuple détient la sienne.

Les principales zones de pêche sont situées à faible profondeur, le long des côtes. On recherche surtout des poissons qui vivent en bancs comme les anchois, les morues ou les harengs d'autant plus faciles à pêcher qu'ils sont regroupés.

Merci aux dauphins et aux cormorans !

En Afrique, au large de la Mauritanie, les dauphins, qui sont de grands amateurs de poissons appelés mulets, aident involontairement les pêcheurs. Les dauphins chassent les bancs de mulets en les poussant vers les rivages où les hommes ont tendu des filets. En Chine et au Japon, on fait travailler le cormoran : les pêcheurs cerclent le cou de cet oiseau gourmand pour ne pas qu'il avale ses proies. Ensuite, il leur suffit de récupérer le poisson dans le bec du cormoran.

Au Sri Lanka, les hommes pêchent à la ligne installés sur des piquets plantés dans le sable.

à l'échelle de la planète

Les fermes d'élevage de saumons sont de plus en plus répandues dans le monde. Ici, une ferme en France. Les spécialistes de cet élevage sont les Norvégiens.

Désormais, les bateaux sont de mieux en mieux équipés : le poisson est trié, nettoyé, puis congelé directement à bord.

Tous dans le filet !

En Espagne, la pêche au thon est spectaculaire ! Les thons sont encerclés dans un filet qui est resserré et remonté à la surface de l'eau. Une dizaine d'hommes armés de crochets descendent alors dans le filet pour rapprocher les thons du bord du bateau. Là, on leur plante dans la chair un second crochet relié à un treuil qui les hissera sur le pont du bateau.

Des fermes dans la mer !

Comme sur la terre, on crée en mer de véritables fermes d'élevage. Des pays comme la Chine et le Japon pratiquent la culture des algues alimentaires, mais aussi des crevettes. L'Europe est plus spécialisée dans la culture des huîtres (ostréiculture), des moules (mytiliculture) et de certains poissons comme le saumon.

La pêche industrielle

Dans les pays riches, la pêche est une véritable industrie. Les pêcheurs repèrent le poisson à l'aide de sonars ou de radars. Les filets sont aussi de plus en plus grands et sophistiqués. D'énormes bateaux-usines partent en pleine mer pendant plusieurs mois. Ils pêchent des tonnes de poissons qui sont ensuite mis en boîte ou congelés directement à bord du navire.

Les bijoux de la mer

Le corail est recherché depuis la fin du XVIe siècle : il servait alors de monnaie d'échange entre Européens et Asiatiques. Ensuite, on l'a utilisé en bijouterie. C'est en Méditerranée que la pêche au corail était la plus importante. Plongeurs français et italiens se sont très longtemps disputé le précieux corail rouge.

Au péril de leur vie

Les pêcheurs de corail, les "corailleurs", travaillent en général par deux : l'un des hommes attend sur le bateau, tandis que l'autre descend dans la mer. Muni d'un marteau, celui-ci détache les coraux avec précaution et remplit le panier qu'il a emporté. Pour remonter, il gonfle une bouée à laquelle il s'est attaché avec le panier. La saison de la pêche au corail ne dure que 6 mois.
Deux hommes ramassent environ 2 à 3 kg de corail par jour ! Autrefois, on utilisait aussi une énorme croix qui était tirée au-dessus des polypes et les arrachait.
Les coraux, qui ont parfois mis des milliers d'années à se construire, étaient ainsi détruits en quelques minutes. Désormais, en Méditerranée, les coraux ont été tellement pillés qu'il faut descendre au delà de 80 m de profondeur pour en trouver, ce qui s'avère très dangereux pour les plongeurs. Le plus recherché, le corail rouge, est de plus en plus rare.

Des objets décoratifs

Les coraux sont vendus aux touristes comme objets de décoration. En Polynésie, on se sert également des coraux pour décorer les façades des maisons. Dans certaines régions, notamment dans l'océan Indien, on les utilise aussi pour fabriquer du ciment ou de la chaux. En bijouterie, on travaille principalement les coraux rouges.

La récolte du soleil

En Bretagne, dans les petits marais, c'est le paludier qui récolte le sel, mais, en Camargue, ce sont des machines.

Le sel a très longtemps servi à conserver les aliments, et on sait le récolter depuis l'Antiquité. Il s'obtient par simple évaporation de l'eau de mer. Au bord de certaines côtes, on a donc aménagé des marais salants.

Le travail de l'évaporation

L'eau est d'abord amenée de la mer par des canaux appelés "étiers" dans une première série de bassins. Puis elle en traverse d'autres de moins en moins profonds d'où elle s'évapore lentement sous l'action du soleil et du vent. Le sel resté au fond du bassin est ratissé régulièrement et il est laissé à sécher avant d'être ramassé, stocké, puis vendu. Dans les derniers bassins, des cristaux de sel blanc fins et légers flottent parfois en surface. Cette "fleur de sel" est très recherchée par les amateurs.

Des conditions particulières

Les marées trop fortes ne sont pas favorables aux marais salants. Ces marais sont donc aménagés pour que l'eau arrive régulièrement.
Les bassins sont aussi construits sur des fonds d'argile qui empêchent l'eau et le sel de s'infiltrer.
Pour récolter une tonne de sel, il faut en moyenne 35 000 litres d'eau de mer.
En France, les grands marais se trouvent en Camargue, au bord de la Méditerranée.
La récolte est alors faite à l'aide de machines qui peuvent amasser 500 tonnes à l'heure ! Mais les plus grands salins du monde sont ceux de la baie de San Francisco. Dans le monde, chaque année, presque 6 millions de tonnes de sel sont extraites de la mer.

Des trésors restés se

Depuis les années 40, l'utilisation des scaphandres s'est répandue. Les archéologues peuvent fouiller plus facilement. Ils cherchent dans les hauts fonds et autour des caps où les navires ont pu s'échouer. Parfois ce sont de véritables cités englouties qui sont retrouvées et explorées.

La chasse aux trésors

D'innombrables épaves de bateaux ont déjà été découvertes dans les océans et mers du monde. Lorsqu'elles sont à faible profondeur, elles sont souvent trouvées, par hasard, par des pêcheurs ou des plongeurs. Quand elles sont enfouies plus profondément, des chercheurs spécialisés utilisent des instruments plus perfectionnés, comme le sonar. Cet appareil émet des ondes sonores et, selon la vitesse avec laquelle l'écho remonte à la surface, les plongeurs évaluent la distance qui les sépare de l'épave. Avant toute fouille, le site est cartographié et photographié. On peut ainsi situer chaque objet et chaque pièce du bateau avec précision. En 1973, un navire découvert au large de New York a été reconstitué à l'aide de 20 000 photos collées les unes aux autres. Sous l'eau, on peut faire le dessin des épaves à l'aide d'un crayon de cire sur du papier plastique. Certains objets sont enfouis sous une épaisse couche de sable que l'on dégage à l'aide d'un aspirateur sous-marin. Chaque objet est minutieusement remonté à l'aide d'un treuil et d'un flotteur rempli d'air. Ces trésors sont étiquetés, puis nettoyés et étudiés. Malgré parfois des centaines d'années passées dans l'eau, le bois et le cuivre

ets depuis des siècles

se conservent très bien, mais ils doivent être traités dès leur sortie à l'air libre.

Des musées sous-marins

La Méditerranée est l'un des plus riches musées d'antiquités du monde. De nombreuses amphores reposent sur ces fonds depuis des siècles à la suite de naufrages.
Elles conservaient autrefois l'huile et le vin. Aujourd'hui, certaines sont habitées par des pieuvres. On trouve encore des centaines d'épaves au large de la Sicile, de la Turquie, de l'Espagne et de la Grèce. On pense qu'il y en aurait environ 2 000 au large du cap Hatteras, aux Etats-Unis, surnommé le cimetière de l'Atlantique. Sur les côtes nord de l'Irlande, le navire *Girona*, contenant des pièces d'or, d'argent et des pierres précieuses a été retrouvé gisant depuis quatre siècles.

Une ville engloutie

La superbe cité d'Alexandrie, en Egypte, avait sombré dans la mer Rouge au IVe siècle lors de glissements de terrain dus à un séisme.
Au XIVe siècle, ce fut au tour de son phare de 130 m de haut, considéré comme la 7e merveille du monde !
Depuis 1992, des archéologues sous-marins ont mis au jour plus de 2 000 blocs d'architecture, chapiteaux, colonnes, statues, sphinx et même des éléments qui pourraient appartenir au phare ! C'est la première fois que l'on retrouve des vestiges sous-marins de l'Egypte ancienne.

Une statue de 12 tonnes a pu être remontée de la cité engloutie d'Alexandrie.

Un milieu

Même si la pollution ne se voit pas tout de suite, elle a, à long terme, de graves conséquences sur la nature. L'océan n'élimine pas tous les déchets, il en stocke une grande quantité…

L'agriculture

Les engrais, pesticides et insecticides pénètrent dans les sols et se mêlent aux eaux douces des rivières et des fleuves qui se jettent dans la mer. Le plus toxique est le DDT, qui est interdit depuis 1970 dans les pays développés. On le retrouve encore dans l'organisme des manchots en Antarctique ! Il se propage dans la chaîne alimentaire, et l'homme, en mangeant du poisson, peut être intoxiqué.

Un tapis de mousse

Les éléments contenus dans les engrais et le lisier de porc (mélange d'urine et d'excréments), peuvent provoquer la multiplication de certaines algues, qui consomment tout l'oxygène de l'océan et empêchent toute vie. Poissons et coquillages meurent asphyxiés. Certaines de ces algues produisent alors une mousse qui recouvre la mer.

Les déchets industriels

L'industrie représente également un réel danger pour les océans : des millions d'usines libèrent des quantités d'acides, de métaux (zinc, plomb), d'hydrocarbures et de colorants qui se retrouvent dans les mers.

Protéger les océans

Depuis plusieurs années, des mesures mondiales ont été prises pour protéger l'océan. Ainsi, il n'est plus question de couler les déchets nucléaires au fond des océans et certaines peintures de bateaux jugées

menacé par l'homme

toxiques sont interdites. Mais ces mesures ne sont pas toujours respectées.

100 millions de touristes au bord de la Méditerranée
Chaque été, 100 millions de touristes envahissent les côtes méditerranéennes. Pour les accueillir, des logements ont été construits, des millions de tonnes de béton ont été coulées. Ce bétonnage des côtes modifie les courants littoraux et le mouvement des fonds, ce qui a de graves conséquences sur la faune et la flore. Sur les côtes, les touristes piétinent et détruisent la végétation qui consolide les dunes. Les plages ressemblent souvent à des dépotoirs après le passage des vacanciers. Chacun d'entre eux laisse environ 1 kg de déchets par jour, ce qui représente à la fin de l'été des masses phénoménales d'ordures ! La plupart de ces déchets s'accumulent et polluent les fonds marins. Beaucoup sont emportés par les vagues et ramenés par les courants sur le rivage.

Même loin des côtes, l'homme pollue la mer.
Dans les pays riches, les stations d'épuration sont encore insuffisantes et, dans les pays pauvres, elles n'existent pas. Ainsi, une grande partie des égouts vont rejoindre directement l'eau des océans. Nous rejetons aussi continuellement dans l'atmosphère du plomb contenu dans l'essence des voitures. Ce plomb retombe sur le sol et dans les océans.

Le danger noir

90 % des marées noires sont dues aux accidents des pétroliers circulant sur les océans. Les autres sont le résultat de catastrophes survenant sur les plates-formes.

Une dangereuse mousse au chocolat

Lors d'une marée noire, une fine couche de pétrole en contact avec l'atmosphère s'évapore facilement. Cette évaporation est encore plus rapide si les températures sont élevées. Il reste cependant du pétrole qui se mélange à l'eau de mer sous l'effet des vagues et qui forme une matière visqueuse appelée mousse au chocolat. Le pétrole déposé sur les fonds marins peut ressurgir des années après l'accident.

Un désastre écologique

Le pétrole forme un film qui recouvre entièrement la surface de la mer. Sans lumière ni air, le plancton meurt, ainsi que tous les animaux qui s'en nourrissent. A la surface, les oiseaux s'engluent. Sur les plages, la mousse au chocolat étouffe la faune du sable. La marée noire peut rendre impossible toute pêche dans la région touchée. Ce n'est qu'après plusieurs années que les effets de la pollution diminuent.

De malheureux exemples

En 1978, l'*Amoco Cadiz* a déversé 230 000 tonnes de pétrole sur les côtes de Bretagne et provoqué une terrible pollution. En 1989, le pétrolier *Exxon Valdez*, avec ses 40 000 tonnes de pétrole, a tué des milliers d'animaux, particulièrement des mammifères marins. En 1991, lors de la guerre Irak/Iran, les raffineries de pétrole du Koweït bombardées, ont laissé s'échapper des milliers de tonnes de pétrole.

Les marées de pétrole laissent sur les plages une couche de goudron grasse et épaisse.

Des pièges meurtriers

La pêche, de plus en plus perfectionnée et intensive, a des conséquences graves sur la faune marine.

Impossible d'échapper aux mailles de plus en plus fines des filets. Les plus petits poissons sont pris sans même avoir eu le temps de se reproduire. Dans le monde, les navires de pêche sont aussi de mieux en mieux équipés. On capture donc des quantités toujours plus importantes. Un jour, il ne restera plus suffisamment de poissons à manger, ni pour les hommes, ni pour les animaux marins.

Des murs de Nylon

Les filets dérivants, semblables aux filets de volley-ball, font des hécatombes. Ils sont retenus par des poids vers le bas et par des bouées vers le haut. Certains atteignent plus de 100 km de long.

Les mammifères marins qui n'arrivent pas à les détecter se laissent ainsi piéger. Chaque nuit, dans les mers du monde, 40 000 km de filets dérivants sont jetés à l'eau. Mis bout à bout, ces filets feraient le tour de la Terre. Les Nations unies ont interdit ce genre de filets, mais cette interdiction est très difficile à faire respecter.

Tous dans le même filet

Dans certains pays, les pêcheurs suivent les dauphins pour attraper des thons. Ensemble, thons et dauphins se laissent prendre par le filet, ce qui a déjà causé la mort de millions de dauphins. La pêche aux crevettes est celle où il y a le plus d'excès : sur 100 kg de poissons et crustacés pêchés, seulement 10 kg de crevettes seront gardés. Des millions de poissons morts sont ainsi rejetés.

TABLE DES MATIERES